ISBN 978-1-332-49498-9
PIBN 10323674

Germanistische Abhandlungen

begründet

von

Karl Weinhold

herausgegeben

von

Friedrich Vogt.

———

XIII. Heft.

Geschichte des deutschen Streitgedichtes im Mittelalter

von

Hermann Jantzen.

———

Breslau.

Verlag von Wilhelm Koebner.

(Inhaber: M. & H. Marcus.)

1896.

Geschichte

des

deutschen Streitgedichtes im Mittelalter

mit Berücksichtigung
ähnlicher Erscheinungen in anderen Litteraturen.

—————

Eine litterarhistorische Untersuchung

von

Hermann Jantzen.

———◆▶◀◆———

Breslau.
Verlag von Wilhelm Koebner.
(Inhaber: M. & H. Marcus.)
1896.

PD
25
G3
Hft 13

Inhalts-Verzeichniss.

Einleitung.

Die deutschen Streitgedichte haben bisher noch keine eingehende und zusammenhängende Untersuchung erfahren; und
doch verdienen wohl auch sie eine solche, da sie keineswegs
nur eine blosse Nachahmung oder Nachdichtung romanischer
Muster sind, wie man früher wohl manchmal behauptet hat,
vielmehr ihren eigenen und nicht uninteressanten Entwickelungs-
gang genommen haben. Die Darstellung ihrer Geschichte wird
uns diesen, sowie ihren Zusammenhang mit der Antike und die
Verbreitung der ganzen Gattung über fast alle Litteraturen
vorführen. Hierbei soll übrigens der Begriff des Streitgedichtes
etwas weiter gefasst werden, als dies etwa in der provenzalischen Tenzone der Fall ist. Wir verstehen darunter alle
Gedichte, in denen irgend ein Streit zum Austrage kommt;
derselbe kann von irgend welchen personificierten Gegenständen
oder Begriffen sowie von erfundenen Personen um ihren eigenen
Vorzug, über die Richtigkeit der einen oder anderen von zwei
Behauptungen, die gleichzeitig aufgeworfen werden, oder auch
um einen Preis geführt werden. Ferner gehören hierher die
eigentlichen Sängerkämpfe und endlich auch die Rätselstreite
und Weisheitsproben, in denen es ja auch immer darauf ankommt, wer von den Beteiligten den andern übertrifft.

Ein Überblick über die Erzeugnisse unserer Dichtungsart
in den Zeiten des griechischen und römischen Altertums möge
uns nun zeigen, wie alt sie ist, und wie beliebt und einflussreich
sie schon damals war.

Das älteste Denkmal unserer Gattung ist wohl eine Ae-

sopische Fabel über den Streit zwischen Frühling und Winter [1]),
ein Thema, das sich immer und überall einer ganz besonderen
Beliebtheit erfreute. Der Winter höhnt und schmäht den
Frühling für seine Milde und Freundlichkeit, dass er den
Menschen nur Lust, Freude und Annehmlichkeit bringe. „Ich
aber, sagt er — und das ist ein bedeutsamer Zug, der in fast
allen späteren Fassungen dieses Kampfes wiederkehrt — ἄρχοντι
καὶ αὐτοδεσπότῃ ἔοικα . . . . . καὶ ἐπιτάττω δεδιέναι καὶ τρέ-
μειν . . . . . Jener aber weist ihn mit der Bemerkung ab,
dass darum auch die Menschen den Winter gern entbehren, ihn
selbst aber stets ehren und preisen.

Ein weiteres Beispiel [2]) finden wir sodann in jenem berühmten
Streite der Εὐδαιμονία, ἣν οἱ μισοῦντες ὀνομάζουσι Κακίαν und
der Ἀρετή, deren jede den Herakles am Scheidewege für sich
zu gewinnen sucht. Er ist uns von Xenophon in den Memora-
bilien II, 1, 21 ff. überliefert, wird aber von ihm ausdrücklich
als ein Werk seines älteren Zeitgenossen Prodikos erwähnt, der
ihn in seinem σύγγραμμα περὶ τοῦ Ἡρακλέους, einem Teile seiner
grösseren Schrift Ὧραι, erzählt hat. Es folgt ferner ein Beleg
in Aristophanes Wolken; hier findet sich v. 889—1104 der dem
vorigen Streite zwischen Tugend und Laster ziemlich ähnliche
Kampf der beiden Λόγοι, des Λ. δίκαιος und des Λ. ἄδικος, die
sich bald als die Vertreter der alten, guten Zeit und der neuen,
dem Verfall entgegengehenden erkennen lassen [3]). Auch in
diesem Falle will jeder einen noch ungewissen Schüler auf seine
Seite ziehen, aber diesmal muss sich der Vertreter des Guten
für besiegt erklären.

Am wichtigsten sind dann für uns wegen ihrer grossen

---

[1]) ed. Halm No. 414.

[2]) Die folgenden Angaben entstammen F. Marx' Artikel Atellanae Fa-
bulae in Pauly's Realencyklopädie [2] und Susemihl's Gesch. d. griech. Litt. in d.
Alexandrinerzeit I, 46, 146.

[3]) Ganz ähnlich standen sich schon in Euripides' nur fragmentarisch
erhaltener Ἀντιόπη die Brüder Zethos und Amphion als Vertreter der alten
und neuen Zeit gegenüber. Der bekannte Streit des Euripides mit Äschylus
in den Fröschen des Aristophanes gehört dagegen wohl nicht hierher, da ja
hier zwei ganz bestimmte, namentlich genannte Dichter persönlich, nicht als
Vertreter verschiedener Richtungen einander gegenübergestellt werden.

Beliebtheit und ihres Einflusses auf lange Zeit hin die Idyllen des Theokritos, des Schöpfers und Meisters der bukolischen Poesie und besonders der bukolischen Wettgesänge; seine Blütezeit fällt in die Mitte des dritten Jahrhunderts v. Ch.

Auch später fand die Gattung des Streitgedichtes bei den Griechen noch häufig Anwendung zu allerlei Zwecken, besonders bei den Philosophen und Rhetoren, die mitunter gern ihre Lehren oder Angriffe in der Form scharf zugespitzter Dialoge vortrugen. So erwähnt Athenäus IV, 157b eine σύγκρισις λεκίθου καὶ φακῆς, Streit des Linsenpürees und der dicken Linsen, die Wilamowitz eine gut kynische Fortsetzung jener Gattung nennt, die wir in den Horen und Wolken kennen gelernt haben. Sie ist ein Werk des Meleagros von Gadara aus dem Anfange des ersten vorchristlichen Jahrhunderts. Etwa um dieselbe Zeit soll Alkaios von Messene diese Form zur persönlichen Satire benutzt haben. (Polybius 32, 6, 5.)

Bei den Römern[1]) finden wir naturgemäss unsere Gattung wieder. Im Drama begegnet sie uns nur vereinzelt und wir kennen bloss den Titel eines Stückes, das uns einen solchen Wettstreit vorführt. Es ist das indicium mortis et vitae des Novius, welches etwa aus der Mitte des zweiten Jahrhunderts v. Chr. stammt. Der Dichter wollte, „offenbar durch eine Satire des Ennius, in welcher dieser nach Quintil. IX 2, 36 mortem et vitam contendentes eingeführt hatte, angeregt und zugleich nach dem Muster jener griechischen σύγκρίσεις auch eine solche zwischen Leben und Tod darstellen." (Marx.)

Unmittelbar an Theokrit schliesst sich dann bekanntlich Vergil in seinen Eklogen an, deren Einfluss auf die mittelalterliche lateinische und deutsche Dichtung wir sogleich noch näher kennen lernen werden.

Auch andere, jüngere Dichter bedienten sich noch gern dieser Form. So berichtet Sueton im Tiberius 42 über einen von diesem Kaiser reich belohnten dialogus, „in quo boleti et ficedulae et ostrei et turdi certamen induxerat Asellius Sabinus", und aus dem zweiten oder dritten Jahrhundert haben wir noch

---

[1]) cf. ausser Marx l. c. auch Teuffel, Geschichte der römischen Litteratur 1890. S. 1004, 8.

vollständig erhalten das indicium coci et pistoris iudice Vulcano [1]) von einem reisenden Litteraten oder Rhetor namens Vespa. Sowohl der Bäcker wie der Koch rühmt sich — jeder spricht nur einmal — der Bessere zu sein und sucht dies zu begründen. Vulkan als Schiedsrichter schliesst mit dem Vorschlage zur Versöhnung. Das Gedicht ist ein durchaus scherzhaft gehaltener Wettkampf, der sowohl an das Idyll wie an die Streitdialoge der Rhetoren erinnert.

[1]) Poetae latini minores IV, 326 ed. Baehrens (Teubner, Leipzig).

Erstes Kapitel

Die lateinischen mittelalterlichen Streitgedichte.

A. Kämpfe um den Vorzug.

Gleich das erste und älteste der uns erhaltenen mittelalterlichen lateinischen Streitgedichte lässt uns den engsten Zusammenhang mit der antiken Dichtung erkennen, der vielbesprochene [1]) Conflictus Veris et Hiemis [2]), dessen Inhalt in Kürze folgender ist:

An einem schönen Frühlingsmorgen kommen eine Anzahl Hirten zusammen, mit ihnen auch der junge Lenz in Blumenkränzen und der alte Winter mit struppigem Haar. Diese beiden erheben einen Streit über das Erscheinen des Kuckucks, des holden Boten der guten Jahreszeit. Der Frühling lobt ihn und wünscht ihn herbei; der Winter schilt ihn und will nichts von ihm wissen. Endlich entscheidet der älteste Hirte und mit ihm dann die ganze Schar, der grimme Winter möge schweigen und schnell solle erscheinen der liebe Kuckuck, den alles erwarte, Meer, Erde und Himmel. „Komm", rufen sie, „sei gegrüsst, Salve, dulce decus, cuculus; per saecula salve!"

Das Gedicht ist von einem Gelehrten, nach neuester Annahme von Alkuin in lateinischen Hexametern geschrieben und zwar unverkennbar nach dem Muster der dritten Ekloge Ver-

---

[1]) Bes. Uhland, Schriften zur Dichtung u. Sage III, 23 u. Ebert, Allg. Gesch. der Litteratur im Abendlande Bd. II. S. 68.

[2]) Gedr. in Mon. Germ. Hist. Poetae latini I, 270 unter Alkuin.

gils, aus der sogar der Name des Schiedsrichters, des ältesten
Hirten Palaemon, übernommen ist. Man hat es sogar eine Zeit
lang für ein Erzeugnis des Altertums gehalten; doch der Geist,
der in diesen Versen weht, ist durchaus echt germanisch und
volksmässig und zwar in solchem Grade, dass nicht einmal das
im Lateinischen übliche Geschlecht der Worte Ver und Hiems
gewahrt, sondern nach deutschem Brauche an einigen Stellen
geändert, als männlich genommen wird. (So v. 6: Ver . . . .
succinctus, v. 45: Hiems . . . . prodigus; an anderen Stellen
schwankend.) Ferner ist es ein bedeutsamer Zug deutschen
Wesens, dass der Kuckuck als Bote und Verkünder des Frühlings
auftritt [1], und endlich, dass wir auch hier jene formelhafte
Frage vorfinden, wer Herr oder Knecht (dominus oder servus)
sei. In der nicht geringen Zahl der deutschen Dichtungen über
den Kampf der Jahreszeiten, die wir später noch zu betrachten
haben, wird diese uns mit grösster Regelmässigkeit immer und
immer wieder begegnen.

Dem Alter nach folgt diesem conflictus ein anderer, dessen
Titel zunächst einen etwas sonderbaren Eindruck macht, der
conflictus Ovis et Lini, der sich jedoch bald als ein durchaus
ernstes, gelehrtes, geistliches Werk erkennen lässt. Es nennt
selbst als Verfasser den als Hymnendichter und Historiker berühmten Hermannus Contractus von Reichenau (gest. 1054) und
wird auch schon von Hugo von Trimberg um 1280 in seinem
Registrum multorum auctorum angeführt [2]:

Adiciamus reliquis quendam hic libellum,
qui lini simul et ovis continet duellum,
in quo lini dignitas pariter at lanae
metrico litigio denotatur (unsicher!) plane.

Die beiden Handschriften, welche wir haben, werden von
den Herausgebern [3] ins 12. Jahrhundert gesetzt.

Nach einer kleinen Einleitung über die Veranlassung zu

---

[1] S. darüber Uhland, Ges. Schriften III, 24 ff. u. J. Grimm, Deutsche
Myth.⁴ Bd. II. 563 u. 637.

[2] Bericht über d. Verhdlgn. d. Kgl. Preussischen Akademie d. Wissensch.
zu Berlin 1854. S. 156.

[3] Du Méril, Poésies populaires latines antérieures au 12e siècle Paris 1843
S. 379 und vollständiger: Haupt, Zeitschrift für deutsches Altertum XI, 215.

seinem Werke — es besteht aus 770 Versen (leonische Distichen) — berichtet der Dichter sofort den Streit, der sich vor seinen Augen zwischen dem Flachs und einem Lamme entspinnt. Ersterer beklagt sich, dass das Schaf gerade ihn so ohne weiteres fresse und beim Liegen zerdrücke. Jenes antwortet, er sei ja doch zu sonst nichts nütze und könne froh sein, noch solche Verwendung zu finden. Gereizt erwidert der Flachs, und es entspinnt sich nun ein recht lebhaftes Wortgefecht. Sobald die weltliche Brauchbarkeit beider — denn diese führen sie zuerst ins Feld — erschöpft scheint, kehren sie die mehr oder minder nützlichen Dienste hervor, die sie der Kirche zu leisten meinen, und erörtern sie mit einem grossen Aufwande von Gelehrsamkeit, ohne jedoch zu einer Einigung oder Entscheidung zu kommen. Endlich beschliesst man, nachdem ein Mönch und der König, den Schaf und Flachs als Schiedsrichter vorschlugen, verworfen, die Sache einem allgemeinen Konzil zu überweisen:

L: „Ecclesiae claves[1]) invoco, pontifices."

O: „Non nisi consultis primum metropolitanis pontificis dicant, quid super hoc statuant."

Mit einer ähnlich scheinbar gleichgiltigen und nebensächlichen Frage beschäftigen sich die beiden nächsten, innerlich zusammengehörigen Gedichte über den Streit zwischen Wasser und Wein, die wir jetzt betrachten wollen. Das erste von ihnen ist von Th. Wright nach mehreren englischen Handschriften als Goliae Dialogus inter Aquam et Vinum herausgegeben[2]). „This elegant little poem", wie er es nennt, ist in dem flotten Tone, der wohlklingenden Sprache und dem leichten Flusse der Erzählung geschrieben, der diese lateinische Vagantenpoesie überhaupt auszeichnet. Es besteht aus zweiundvierzig vierzeiligen Strophen, deren erste hier zur Probe diene:

---

[1]) i. e. potestatem et iuris dictionem Ecclesiae. (Du Cange.)

[2]) The latin poems commonly attributed to Walter Mapes, London, Camden Society 1841. S. 87. Die weiteren Handschriften, sowie den Text einer neu gefundenen Münsterischen aus dem 14. Jhrhd. teilt A. Bömer mit in M. Kochs Zeitschr. f. vergl. Litt. Gesch. N. F. VI. 123 fgg. Für die Streitfrage, wer jener Golias (auch Primas oder Archipoeta) gewesen ist, beschränke ich mich hier darauf, auf die neueste Arbeit darüber zu verweisen, wo auch die übrige Litteratur sich findet: Ch.-V. Langlois, La littérature goliardique, in der Revue politique et littéraire, Revue bleue, Paris 1892. S. 807.

Cum tenerent omnia medium tumultum,
post diversas epulas et post vinum multum
postquam voluptatibus ventris est indultum
me liquerent (l. liquerunt) socii vino iam sepultum.

Der Dichter, ein Mönch, berichtet also in der Einleitung, wie er, von den Geistern des Weines bezwungen, eingeschlafen sei und sich nun im Traume in den dritten Himmel versetzt glaubt. — Die Form dieses Einganges, eine Traumschilderung, ist übrigens auch an sich von Bedeutung, da sie typisch ist für die Erzeugnisse der Visionslitteratur, die im ganzen Mittelalter so ausserordentlich beliebt waren. — Dort sitzt Gott auf seinem Throne, und vor ihm erscheinen Thetis und Lyaeus, um ihm eine Streitsache, die Frage, wer von ihnen beiden vorzuziehen sei, zu unterbreiten. Ihren Verlauf schildert der Dichter nach seinem Erwachen in concilio fratrum. Die Vertreterin des Wassers und der Gott des Weines suchen, gestützt auf allerlei Bibelstellen, in schneller Wechselrede sich selbst und ihre Vorzüge in ein möglichst helles Licht zu setzen, den Gegner aber nach Kräften herunter zu ziehen, bis es schliesslich durch seine schlagfertige Dialektik dem Weine gelingt, den Sieg davonzutragen; denn: (v. 155)

Si quis causa qualibet cessat a Lyaeo,
non resultat canticum neque laus ab eo;
si refectus fuerit tandem potu meo,
tunc decantat 'Gloriam in excelsis Deo'.

Und das giebt den Ausschlag; sogar die Vögel scheinen ihren Beifall nicht zurückhalten zu können; mit lautem Gesange fallen sie ein und stimmen mit den Ruf an: „In terra pax hominibus bonae voluntatis." Mit Lob und Preis Gottes, der übrigens nicht selbst die endgültige Entscheidung fällt, wie man nach dem Anfange erwarten sollte, schliesst dieses Gedicht, ein charakteristisches Beispiel der ganzen Poesie jener Zeit, die nicht den geringsten Anstoss daran nimmt, wenn der Verfasser zwei heidnische Mythenfiguren, mit genauester Kenntnis der heiligen Schrift ausgestattet, vor dem Christengotte mit einander verhandeln lässt.

Fast dieselbe Überschrift trägt das andere Gedicht über

unser Thema, welches von Du Méril[1]) nach einer französischen Handschrift des dreizehnten Jahrhunderts vollständig, von Schmeller[2]) nach dem Benediktbeurener, jetzt Münchener codex als Bruchstück herausgegeben ist: de conflictu vini et aquae. Doch ist ein grosser Unterschied zwischen beiden. Während in dem ersten der ernste, lehrhafte, beschauliche Ton überwiegt, zeigt sich in dem zweiten mehr die jugendliche Ungebundenheit des fahrenden Scholaren, dem der Schelm allenthalben im Nacken sitzt, und dem es auf ein bisschen Spott und ein derbes, urwüchsiges Wort nicht ankommt. Gleich die einleitende Strophe scheint mir mit ihren gewichtigen Worten, ihrem ernsthaften, ja geheimnisvollen Tone, mit absichtlicher Ironie eine hohe Spannung hervorrufen zu sollen:

> Denudata veritata
>
> et succincta brevitate
>
> ratione varia,
>
> dico, quod non sociari
>
> debent, immo separari,
>
> quae sunt adversaria.

Doch bald wird sie gelöst. Wenn Wasser und Wein in einem Gefässe gemischt werden, so taugt dies nicht und ist nur eine böse confusio. Nun lässt der Dichter den beiden Gegnern das Wort, zuerst dem Weine, der eben voll Schmerz das Wasser bei sich wahrgenommen hat. Grob fährt dieser es an: „Wer hat Dich mit mir zu vereinen gewagt? Fort, Du bist nicht wert an derselben Stätte wie ich zu weilen!" Er schilt es einen ganz niedrigen Stoff, der nur immer über die Erde hinströmen solle, um am Ende zu Schlamm zu werden. Kein Mensch begehre es beim Mahle, und wenn ja jemand von ihm zeche (potat), so seien, war er auch vorher gesund, Krankheit und schreckliche Leibesbeschwerden sein Lohn. Dagegen verteidigt sich nun das Wasser: Alle Weinzecher seien lasterhaft, der Wein beraube den Menschen der Sinne, sodass er Unsinn redet und alles hundertfach sieht. Deswegen werde er auch mit Recht in einem kleinen Hause (dem Fasse) gefangen

---

[1]) Poésies inédites du moyen-âge, Paris 1854. S. 303.
[2]) Carmina Burana S. 232. (16. Publik. d. litt. Vereins in Stuttgart. 1847.)

gehalten, während das Wasser frei seinen Weg über die ganze Erde nimmt. So geht der Streit noch weiter, bis endlich auch hier der Wein, aber diesmal vermöge seiner derben Grobheit, der das Wasser unter Seufzen und Weinen nichts mehr entgegensetzen kann, den Sieg davonträgt und triumphierend den cantus schliesst.

Denselben Gegenstand behandeln übrigens, jedoch ohne den Streit durchzuführen, noch einige Verse der Carmina Burana[1]).

Im Folgenden stellen wir nun eine Gruppe von Gedichten zusammen, die einen gemeinsamen Zug in der Wahl ihres Stoffes, einer Streitfrage aus dem Liebesleben zeigen. Das älteste derselben ist wohl das sogenannte „Liebeskonzil", dessen Handschrift der Herausgeber, G. Waitz[2]), ins zwölfte, vielleicht noch ins elfte Jahrhundert setzt. Monat und Ort dieser unerhörten concio puellaris werden uns genau mitgeteilt: sie findet an den Iden des April auf dem mons Romarici, d. i. Kloster Remiremont im Bistum Toul, statt.

In eo concilio   de solo negocio
Amoris tractatum est,   quod in nullo factum est;
Sed de evangelio   nulla fuit mencio.

Nur puellae haben Zutritt und — sehr bezeichnend! — einige honesti clerici. Sobald nun die Hallen gefüllt sind, werden die praecepta Ovidii quasi evangelium verlesen und dann herrliche Gesänge angestimmt, aber keine heiligen, sondern carmina amoris, wobei sich besonders zwei edle Frauen, Elisabeth de Granges und Elisabeth de Falcon, auszeichnen. Darauf erhebt sich die cardinalis domina, prächtig geschmückt wie eine filia Veris und eröffnet feierlich die Versammlung, indem sie fragt, wen eine jede liebt, um dann darüber ihr Urteil zu sprechen. Bei der Beantwortung dieser Frage entspinnt sich nun der Streit, ob ein clericus (im weitesten Sinne, auch = Vagant, Scholar) oder miles (Ritter) mehr zur Liebe geeignet sei. Die Gründe für und wider werden ausführlich und nicht immer ganz zart erörtert, und schliesslich erklärt ganz energisch

---

[1]) S. 233, No. 173a.
[2]) Zeitschr. f. deutsches Altertum VII, 160 ff. Vgl. auch E. Langlois, Origines et sources du roman de la rose, Paris 1890 S. 6 ff.

das gesamte Konzil, dass entschieden ein Kleriker vorzuziehen
sei. Dann endet das Gedicht mit einer feierlichen cxcommuni-
catio rebellarum.

Ganz denselben Gegenstand behandelt ferner eines der an-
mutigsten und liebenswürdigsten Gedichte der mittellateinischen
Poesie überhaupt, das „De Phyllide et Flora“, überliefert in
einem englischen, dem Benediktbeurener und dem codex der
Königin Christine in der Vaticana (geschrieben um die Wende
des 12. und 13. Jahrhunders)[1]. Als Verfasser gilt ein Fran-
zose oder Anglonormanne[2]. Die ersten elf Strophen geben in
vollendeter Schilderung eine epische Einleitung, die uns trefflich
in die Sachlage einführt. — Auch diese Form des Einganges,
die prächtige Naturschilderung, hat eine nicht geringe Bedeutung, da sie, später ebenfalls typisch geworden, uns auch
in sehr vielen deutschen Gedichten begegnen wird; hier haben
wir wohl das erste Beispiel dafür. —

An einem schönen, blühenden Sommertage gehen zwei lieb-
liche Königstöchter spazieren. Fast ganz gleich sind beide in
jeder Beziehung, nur hat Phyllis ihr Herz einem miles, Flora
aber einem clericus geschenkt. Um sich vor den Strahlen der
Sonne zu schützen, lassen sich die Mädchen im Schatten einer
breitästigen Pinie am Bachesrande nieder, und Phyllis klagt
über die Abwesenheit des Geliebten, dessen Stand sie zugleich
begeistert preist. Lächelnd widerspricht ihr die Freundin, nur
ein Kleriker sei würdiger Gegenstand der Liebe. Bald fliegen
nun die Worte erregt herüber und hinüber, nicht immer zart
und sanft, wie es Königskindern ziemte, sondern mitunter
auch recht derb und deutlich. Phyllis schilt den Pfaffen einen
dicken und unthätigen Gesellen, dessen Sinn nur nach Essen

---

[1] Nach dem ersten gedruckt bei Wright, The lat. poems . . . S. 258 ff.
nach dem zweiten Carm. Bur. S. 155 ff. Hubatsch, die lat. Vagantenlieder,
Görlitz 1870 S. 27 u. nach ihm Selbach, das Streitgedicht i. d. altprovenza-
lischen Lyrik, Marburg 1886 S. 27 behaupten, diese Fassung sei ein Fragment.
Das ist ein Irrtum. Beide haben gleichen Umfang und weichen nur in Kleinig-
keiten von einander ab. Die Fassung d. röm. cod. ist noch nicht vollständig
gedruckt. Sie und einige andere unedierte Hs. erwähnt Hauréau, Notices et
extraits XXIX. 2e partie. S. 309.

[2] Romania XXII. S. 536.

und Trinken stehe, während Spiel und Liebe ihres Ritters freudigerer Lebensinhalt sei. Dies ruft nun wieder eine scharfe Antwort hervor, und so wird der Streit immer lebhafter, bis schliesslich Flora, des Gezänkes müde, vorschlägt, Cupido selbst als Richter in dem Handel zu wählen, worauf denn ihre Gegnerin auch eingeht. Sie machen sich auf, und die Zeit, bis sie zu Amors Heim gelangen, benützt der Dichter, um mit Begeisterung und Kunst in epischer Breite die herrlichen Reittiere der Mädchen und ihre prächtvolle Ausrüstung zu schildern. Bald ist aber der Hain erreicht, wo nichts als Lust und Freude waltet, Musik und Sang ertönen. Bald stehen sie auch vor Cytherens Sohn und tragen ihm ihr Anliegen vor. Dieser jedoch fällt nicht allein die Entscheidung, sondern berät sich zuvor mit seinen Richtern, usus und natura, und nach genügender Erörterung der Frage heisst es dann:

Ad amorem clericum dicunt aptiorem.

Damit und mit der Mahnung sich nie in einen miles zu verlieben, schliesst unser Gedicht, a truly elegant poem. (Wright 258).

Weniger anziehend ist dagegen ein anderes Gedicht, ebenfalls über einen erotischen Stoff, „Ganymed und Helena" [1]), vermutlich ein Erzeugnis des südlichen Frankreich, das uns in einer Berliner Handschrift aus dem Beginne des 13. Jahrhunderts überliefert ist. Bei aller Vollendung in Form und Sprache fehlt dem Gedichte, wenn ihm auch ein sehr ernster sittlicher Zweck zu Grunde liegt, doch jeder höhere sittliche Standpunkt völlig. Es handelt sich um einen Streit zwischen Ganymed und Helena, die zuerst reizend geschildert werden. Ganymed verteidigt die Knabenliebe, ein Laster, dem damals der Klerus mit Vorliebe huldigte [2]), während Helena die Liebe der Männer zum andern Geschlecht preist, wobei indessen die Einrichtung des Konkubinats als etwas ganz Selbverständliches und Sachgemässes vorgeführt wird. Das unerquickliche Gespräch endigt mit dem Siege Helenas.

Zwei andere Bearbeitungen desselben Themas zeigt noch

---

[1]) Zeitschr. f. d. Altert. XVIII, 124 ff.
[2]) Belege dafür Zeitschr. f. d. Altert. XXII, 256.

Hauréau[1]) an unter dem Titel Altercatio hyemis et aestatis, doch sind diese nichts als „des copies d'écoliers, composées sur la même matière".

Eine rein geistlich-ethische Frage behandelt sodann eine neue Gruppe von Gedichten, deren Gegenstand der Streit zwischen Leib und Seele ist, ein Thema, dessen ausserordentliche Beliebtheit im Mittelalter durch die überaus zahlreichen Bearbeitungen in den Landessprachen erwiesen ist[2]).

Die älteste uns bekannte lateinische Fassung dieses Streites haben wir in einer prosaischen Legende, welche unter dem Titel: „Visione di un monaco il quale rapito in extasi assiste alla morte di un peccatore ed a quella di un giusto" in einer römischen Handschrift des 11./12. Jahrhunderts überliefert ist[3]). Sie ist, wenigstens zum Teil und indirekt, die Quelle für die poetischen Fassungen, deren Hauptzüge sich in ihr bereits finden. Die wichtigste von diesen nun ist der umfängliche Dialogus inter Corpus et Animam, den Wright nach englischen Handschriften, am vollständigsten Du Méril nach französischen als Vision de Fulbert und Karajan nach einer Wiener als Visio Philiberti herausgegeben hat[4]). Der wesentliche Inhalt ist folgender: Im Traume — wieder der bekannte Eingang — erscheinen dem Dichter (bezw. jenem Einsiedler Philibert) Anima und Corpus, und jene beginnt den Streit mit einer gewaltigen Strafrede über die Nichtigkeit ihres Gegners, die Vergänglichkeit alles Irdischen und ihre Qualen in der Ewigkeit, die sie wegen der Schwachheit des Fleisches und wegen seiner bösen Lüste erleiden müsse. Doch unerschrocken führt auch der Leib seine Verteidigung. Mit ihrer letzten Bemerkung habe sie durchaus Unrecht; denn wenn sie, wie sie ja selbst behaupte, von Gott als höheres Wesen und Herrin des Leibes erschaffen

---

[1]) Notices et extraits, XXIX, 2e part. p. 276. Sie finden sich im cod. 11412 der Bibliothèque nationale (fol. 4 u. 14).

[2]) Vgl. darüber bes. Varnhagen, Anglia II, 225, Batiouchkof, Romania XX, 1 u. 513 ff. sowie die verschiedenen Herausgeber.

[3]) Romania XX. S. 576. Inhaltsangabe S. 5.

[4]) Wright, The lat. poems . . . S. 95, Du Méril, Poés. pop. lat. ant. au 12. sc. S. 217, Karajan, Frühlingsgabe f. Freunde älterer Litt. Wien 1839. S. 85.

sei, so sei doch nur sie selbst für seine Sünden und Fehltritte verantwortlich, da er ja stets nur ihr gehorche, und nie frei und selbständig handle. Jene entgegnet, ursprünglich zwar habe sie die Herrschaft besessen, aber das Fleisch habe sie ihr entwunden, und nun müssten sie beide für die Schlechtigkeit der Welt büssen. Dieser Einsicht kann sich nun der Leib auch nicht länger verschliessen und verzweifelnd ruft er aus: (hier caro genannt) Wr. v. 219:

> Et scio praeterea quod sum surrectura
> in die novissimo, tecumque passura
> poenas in perpetuum: o mors plusquam dura,
> mors interminabilis, fine caritura!

Doch noch einmal fasst er Hoffnung, während die Seele sich schon völlig vernichtet fühlt; sollte denn keine Erlösung möglich sein? Allein trostlos lautet der Bescheid. Wr. v. 239:

> Corpus, ista quaestio caret ratione!
> qui semel intrat baratrum . . . . (ei)
> 242: non est spes ulterius de redemptione,
> nec per elemosinas vel oratione. . . . . .
> 249: Non daret diabolus ferus et effrenis
> unam entem animam in suis catenis
> pro totius saeculi praediis terrenis,
> nec quandoque sineret, quod careret poenis.

Damit endet der eigentliche Streit, aber noch nicht die Vision, deren Schluss erst, wenn auch nicht direkt, die Frage beantwortet, ob Leib oder Seele die grössere Verantwortlichkeit trage. Kaum hat die Seele ihr letztes Wort gesprochen, da erscheinen zwei grässliche Teufel (daemones), deren Beschreibung bis ins einzelne durchgeführt ist, schleppen sie fort in die Hölle und peinigen sie dort auf unerhörte Art. Zuletzt ruft die Gequälte, kaum noch fähig zu sprechen, Davids Sohn um Hilfe an, aber nur bitteren Hohn erntet sie von ihren Plagegeistern: Zu spät sei jetzt die Reue. — Damit erwacht der Schläfer und durch den bösen Traum erschreckt und gewarnt wendet er sein Gemüt zur Busse, ermahnt auch die andern Menschen dazu, und fleht den Allmächtigen um Gnade an, da er fortan allem Irdischen, Vergänglichen entsagen wolle.

In denselben Zusammenhang gehört auch eine Disputatio

inter Cor et Oculum [1]), da hier das Auge genau dieselbe Rolle spielt, wie im vorigen Gedichte der Körper. Dass übrigens beide in einem Abhängigkeitsverhältnis zu einander stehen, scheint besonders aus einem nicht ganz gewöhnlichen Vergleiche, der sich in ihnen findet, hervorzugehen. v. 19 und 20 der Disputatio:

> nonne quod vides sequeris
> ut bos ductus ad victimam?

stimmt sehr genau zu v. 109 des Dialogus: quae (anima) statim carnem sequitur ut bos ductus ad victimam.

Die Einleitung sagt: Wer nicht die Streitigkeiten zwischen Herz und Auge kennt, der kennt auch nicht die mannigfachen Gefahren, die dem Seelenheil durch diese beiden Organe erwachsen können. Dann beginnt das Herz das Kampfgespräch, indem es das Auge als Anfang der Sünde, als ungenügenden Hüter der Thür zum Herzen hinstellt. Dieses verteidigt sich ganz ähnlich, wie oben der Leib, es sei ja nur Knecht des Herzens, und als solcher jeder Verantwortung ledig. Um eine Entscheidung herbeizuführen, nimmt dann der Dichter zur Ratio seine Zuflucht, und diese erkennt in weiser Vorsicht über beide das „Schuldig";

> nam cordi causam imputat,
> occasionem oculo.

Bemerkt sei übrigens, dass Herder in den „Volksliedern" [2]) dieses Gedicht übersetzt hat, und unter seiner kundigen Hand hat es ausserordentlich gewonnen, so dass in diesem Falle die Übertragung einen bedeutend besseren Eindruck macht als das Original.

In einem Gedicht einer vatikanischen Handschrift des 14. Jahrhunderts wird wenigstens auf eine contentio anime et corporis angespielt. Die mitgeteilten [3]) Strophen enthalten eine Strafrede der Seele an den Leib, in der sie ausführt, wie dieser sich immer ihren guten Bestrebungen widersetzt habe. z. B.:

---

[1]) bei Wright, The lat. poems . . . S. 93.
[2]) ed. Suphan XXV, 374.
[3]) Romania XX, 566.

Si volebam paupertatem,
Hanc dicebas falsitatem oder
Si volebam parcus esse,
Dicebas: non est necesse . . . und
Si volebam esse largus,
Tu dicebas: Esto parcus . . . u. s. w.

In einer weiteren Gruppe unserer Gattung wollen wir nun die Gedichte zusammenfassen, die teils Fragen kirchlich-politischer Natur, teils auch nur mönchisches Gezänk betreffen. Zu den ersteren gehört als das älteste dieser Art der Streit zweier feindlichen Päpste über ihre mehr oder minder berechtigten Ansprüche[1]). Es ist im Jahre 1091 wahrscheinlich von einem gallischen Geistlichen in gutem Latein und flüssigen Hexametern geschrieben, ist aber voll von Spitzfindigkeiten und sophistischem Wesen. Urban II. und sein von Kaiser Heinrich IV. gestützter Gegenpapst Clemens III. greifen zuerst ihre Namen und deren Bedeutung und dann die Rechtmässigkeit ihrer Wahl an, bis Urban, des vielen inhaltlosen Redens müde und im Vertrauen auf die Unterstützung einer grossen Zahl geistlicher Würdenträger vorschlägt, die Sache einer Synode zu überweisen, ein Anerbieten, das auch Clemens gern annimmt: „Quos clamas clamo, quos eligis, eligo tales." Am Schlusse erwähnt der Dichter noch, dass die Angelegenheit zu Kaiser Heinrichs Ohren gekommen sei, der unter Erklärung seines Einverständnisses versichert habe, er werde den Spruch der Kirchenversammlung bestätigen und sich ihm fügen.

Von einem andern Gedichte dieser Art, dessen Handschriften aus der Frühe des 12. Jahrhunderts stammen, ist nur der Anfang abgedruckt[2]); es streiten sich in ihm ein Papst und ein König um das Recht der Investitur.

Ferner führen uns einige Denkmäler unserer Gattung die Zwistigkeiten zwischen verschiedenen Mönchsorden vor; so das Gedicht: De Claravallensibus et Cluniacensibus[3]). Nach

---

[1]) Mon. Germ. Hist. Libelli de lite Imperat. et Pontif. scl. XI. et XII. conscr. Tom. II, 169 Quart-Ausg. hrsg. von Sackur nach acht Handschriften.

[2]) Du Méril, poés. pop. lat. ant. au 12e sc. S. 405.

[3]) Wright, The lat. poems . . . S. 237,

einer längeren Einleitung mit etwas schwülstiger Naturschilderung treten zwei Mönche von den genannten Orden auf, die weidlich auf einander schimpfen und sich die ärgsten Grobheiten sagen, während der Dichter als Schiedsrichter fungiert. Am Schlusse, als sie sogar handgreiflich werden wollen, hat er noch seine Not, sie davon abzuhalten, und sucht sie mit folgendem Spruche zu beruhigen, v. 165:

> Fratres, quaeso, parcite tam pravum certamen;
> mes sires seint Beneit sit vestrum levamen!
> in die iudicii dabit hic piamen,
> et istius trutinae pensabit examen.

Ein anderes Stück überschrieben „De Zoïlo et Mauro" [1]) ist ganz ähnlich. Dem Dichter fallen unter einer Schar Mönche zwei, wohl wieder ein Cistercienser und Cluniacenser, ganz besonders auf, da sie erbittert mit einander streiten. Der eine preist ein schlemmerhaftes Wohlleben, der andere die Armut, und beide überschreiten gar manchmal die Grenzen des Anstandes. Am Ende mahnt der Dichter beide zur Einsicht, v. 258:

> Dignam, inquam, vivitis vitam, coenobitae,
> digna est diversitas utriusque vitae,
> estis ambo palmites in aeterna vitae.

Ein weiteres Gedicht, „De Presbytero et Logico" [2]), weicht nur insofern ein wenig ab, als hier der eine Gegner ein fahrender Scholar ist. Dieser sieht auf seinem Wege einen Mönch in mitten seiner Gemeinde sitzen und eine Schrift des heiligen Paulus erklären. Heftig fährt ihn da der kecke Jüngling an, v. 29:

> Fallis, fallis, presbyter, coetum Christianum,
> abusive loqueris; laedis Priscianum,
> te probo falsidicum, te probo vesanum.

Der Angegriffene antwortet mit gleicher Münze, und es entspinnt sich ein äusserst lebhafter, mit allen Mitteln der Redekunst oder vielmehr der Grobheit geführter Wortkampf, bis endlich der Presbyter, durch des Scholaren beissende Vorwürfe

---

[1]) Wright, The lat. poems . . . S. 243.
[2]) Wright, The lat. poems . . . S. 251.

über seine Vorliebe für jede, auch die unwürdigste Vertreterin des schönen Geschlechts beschämt, die Diskussion hier abbricht, um sie unter Ausschluss der Öffentlichkeit im stillen Kloster fortzusetzen. Dort gelingt es ihm, durch eine List den logicus zu besiegen, der nun von den Mönchen tüchtig durchgeprügelt, kaum sein Leben fristen kann.

Alle diese Gedichte bergen unter ihrem scheinbar scherzhaften Äusseren bittere Satire und heftige Entrüstung über das Thun und Treiben der damaligen Geistlichkeit und besonders der Mönchsorden. Ganz unumwunden sogar tritt dies in der „Disputatio Mundi (= Laienstand) et Religionis (= Mönchsorden)" hervor. Tendenz und Inhalt dieses recht umfänglichen Werkes glaube ich am besten mit den Worten des Herausgebers[1] Hauréau wiedergeben zu können:

Le monde prend le premier la parole, exposant ses griefs contre la religion, c'est-à-dire contre les ordres religieux; l'avocat de ces ordres parle ensuite, les défend point par point, et le procès se termine par une sentence en sa faveur. . . . . . Le procès a lieu vers la fin du XIIIᵉ siècle. Le rapide développement qu'ont pris les deux ordres nouveaux, l'ordre des Prêcheurs et celui des Mineurs, inquiète la société civile, qui se voit enlever toute la fleur de sa jeunesse, et elle supplie le pape de vouloir bien ordonner qu'ancun adulte ne pourra désormais entrer en religion sans le consentement de ses parents.

Als Verfasser nennt Bale (nach Hauréau) den Minoriten Gui de la Marche, (bezeugt 1291 in einer Bulle des Papstes Nicolaus IV.)[2], eine Angabe, deren Richtigkeit sich aber nicht beweisen lässt.

B. Ein Sängerstreit.

Bereits in den frühen Zeiten der karolingischen Renaissance begegnet uns ein Beispiel — soviel ich weiss, das älteste — für jene Gattung der Sängerkriege, die später in den Nationallitteraturen, besonders der französch-provenzalischen und der

---

[1] Biblioth. de l'école des chartes. tom. 45 Paris 1884 p. 5.
[2] Bullarium franciscanum. tom. IV, 210. (Hauréau).

deutschen — wenn auch in etwas verschiedener Weise — zü weiterer Ausbildung und hoher Blüte gelangt sind.

Es handelt sich um das Werk eines Dichters aus dem Kreise der Hofpoeten Karls des Grossen mit dem akademischen Namen Naso, in welchem der Herausgeber Dümmler[1]) auf Grund einer Signatur $\overline{MD}$ den späteren Bischof Modoin von Autun vermutet. Der Inhalt ist der, dass sich zwei Dichter, ein älterer und ein jüngerer, darüber streiten, wer von ihnen das grössere Recht hat den Kaiser und seine Thaten zu besingen, wobei es auch an persönlichen Ausfällen nicht mangelt. Der iuvenis preist zuerst den senex, dass er so ruhig und ungestört seiner Kunst leben dürfe. Dieser aber schilt mit den härtesten Worten den Jüngling ob seiner Vermessenheit, in so unreifen Jahren einen solch erhabenen Stoff sich zu wählen und nennt seine Lieder ganz wertlos:

> Publica nulla canis, nulli tua carmina digna,
> Sed cunctis dispecta patent, vilissime vates.

Dem aber widerspricht der andere und nimmt sich vor im Gegenteil noch mehr zu Ehren seines Kaisers zu singen; der Gegner indessen beachtet dies kaum und macht ihm neue heftige Vorwürfe:

> Quis te musarum tantus seduxerat error?
> Rura colenda fuit melius tibi stiva tenere
> Agricolam patrio cantando imitarier usu.

Doch der Jüngling lässt sich dies nicht anfechten. Weiss er doch zu seinen Gunsten eine grosse Zahl römischer Dichter anzuführen, die sich auch die Huld ihres Fürsten ersungen haben und er schliesst mit den charakteristischen Worten:

> Cede senex victus dudum puerilibus armis.
> Crede satis gratas dominis consistere musas,
> Precipuis meritis hinc esse memento poetas.

C. Rätselspiele, Weisheitsproben, gelehrte Gespräche.

Die mittelalterlichen, lateinischen Rätselspiele und Weisheitsproben gehören bis auf sehr wenige Ausnahmen der Prosa-

---

[1]) Zeitschr. f. d. Altert. XVIII, 59 und Mon. Germ. Hist. Poet. lat. I, 385.

litteratur an; allein wir müssen sie doch hier mit in Betracht ziehen, da sie für die Weiterentwicklung der ganzen Gattung von hoher Wichtigkeit sind und zugleich besonders deutlich ihren Zusammenhang mit der gelehrten Bildung und dem Unterrichtswesen zeigen. Die Denkmäler unserer Art sind grösstenteils Zusammenstellungen von allerhand Fragen und Antworten aus dem Gebiete der Theologie, Naturwissenschaft, Astronomie, manche auch allgemeinen Inhalts, mitunter scherzhaft gehalten, die in ihrer katechismusartigen Form meist mehr Proben des Wissens als des Verstandes sind, und wohl ausser zur Unterhaltung auch zum Lehren und Lernen gedient haben mögen. Eine der ältesten dieser Sammlungen, von denen ich nur die bekannteren erwähne, sind die Collectanea et Flores des Beda[1]), die einen ausgesprochen lehrhaften Charakter haben; auch weisen sie schon sehr viele Fragen auf, die sich später in derartigen Werken immer wiederfinden, z. B. „Quid primum a Deo processit? Verbum hoc, Fiat lux. Qui sunt nati et non mortui? Enoch et Elias" und viele andere.

Einer Handschrift des neunten Jahrhunderts entstammen sodann die „Disputatio regalis et nobilissimi iuvenis Pippini cum Albino scholastico" (= DPA) und die „Altercatio Hadriani Augusti et Epicteti philosophi" (= AHE)[2]). Die DPA zerfällt nach Wilmanns' Untersuchung in zwei Teile; im ersten beantwortet Alcuin die Fragen Pippins, im zweiten Pippin die Alcuins. Der erste Teil giebt poetische Umschreibungen von Gegenständen und Begriffen und bietet so wesentliche Elemente zu Rätseln, der zweite verlangt die Lösung wirklicher Rätsel; im ersten Teile sind die Antworten schlicht und klar, im zweiten verstecken sie sich wieder in rätselhafte Form. Die AHE entstand durch eine freie Vereinigung der DPA mit den unter dem Namen des griechischen Schriftstellers Secundus überlieferten Sentenzen. (Übrigens kannte Alcuin nach einem seiner Briefe auch schon eine AHE.) Ebenfalls einer Handschrift des neunten Jahrhunderts entnommen ist dann ein „Fragebüchlein", auch von Wilmanns herausgegeben[3]), welches

[1]) Band III, 480 ff. der Folio-Ausg. Cöln 1612.
[2]) Zeitschr. f. d. Altert. XIV, 530, hrsg. v. Wilmanns.
[3]) Zeitschr. f. d. Altert. XV, 166.

wiederum grosse Ähnlichkeit mit einem Dialoge „Adrian und Epictus" hat[1]).

Hierher gehört endlich auch noch eine Bearbeitung der alten, auf orientalische Grundlagen zurückgehenden Geschichte von dem Wortstreit Salomos mit Markolf. Auf dem Verhältnis des weisen Königs zu dem Dämonenfürsten Aschmedai beruhend verbreitete sich diese Sage allmählich in ganz Europa, zuerst durchaus ernst gehalten, wie mehrere Zeugnisse bestätigen[2]). Daneben aber wird, zunächst wohl in Frankreich, eine lustige, burleske Behandlung des Themas beliebt, und eine weitere eigenartige Ausbildung führt zu der besonderen Gattung der dialogi meretricii, von denen uns auf englischem Boden, aber wahrscheinlich durch französische Vermittelung, auch in lateinischer Sprache ein Beispiel erhalten ist. Es ist das um die Wende des 12. und 13. Jahrhunderts aufgezeichnete certamen Salomonis et Marcolfi[3]) in acht und zwanzig Hexametern. Der ungehobelte, aber schlaue und zungenfertige Markolf übertrumpft und parodiert immer die Aussprüche Salomos in der Weise, dass er in seine Antwort jedesmal den typischen Namen der meretrix verflicht und diese zu dem Gesagten in Beziehung bringt z. B.

S: Tempore quo fructus domino parit, arbor amatur.

M: Dum pretium sperat cupidis Thaïs famulatur.

S: Haud cane confido qui vult omnes comitari.

M: Quis Thaïde fidet? Solet omnibus equiparari.

Auch die lateinischen Prosaversionen dieser Wechselreden gehören hierher, die Vorlagen des deutschen Spruchgedichtes von Salomo und Markolf, auf das noch später zurückzukommen ist[4]).

D. Schlusswort über die lateinischen Gedichte.

Nach der Betrachtung im einzelnen mögen zuletzt noch einige allgemeine Bemerkungen über unsere Gedichte angefügt

---

[1]) Kemble, The Dialogues of Salomon and Saturnus, London 1848. Aelfric Society. S. 212.

[2]) Über die Geschichte der Sage vergl. besonders Salman und Morolf ed. F. Vogt, Halle 1880, Einleitung.

[3]) Kemble, The Dialogues .... S. 84.

[4]) Näheres auch über d. Verhältnis d. lat. zu d. deutschen Fassg. bei Schaumberg in Paul u. Braunes Beitr. II, 1 ff.

werden. Besonders die unserer ersten Gruppe gehören mit wenigen Ausnahmen der Poesie des Vagantentums an, jenes frischen und ungebundenen studentischen Lebens und Treibens, dessen Blütezeit nach Giesebrechts [1]) Ausführungen in den Schluss des elften und das zwölfte Jahrhundert zu setzen ist. Es war dies eine durchaus internationale Erscheinung; Deutschland, England, Frankreich sind in ziemlich gleichem Masse daran beteiligt, während Italien hinsichtlich der poetischen Erzeugnisse etwas, wenn auch ·nicht völlig, zurücktritt. Daher kommt es auch, dass es so schwer und oft unmöglich ist, etwas über Heimat und genauere Zeit der Entstehung solcher Gedichte zu ermitteln; denn mit den Vaganten wanderten auch ihre Lieder, das Eigentum aller, die überall heimisch wurden und eben wegen ihrer allgemeinen Beliebtheit der „Vagantenpoesie" eine längere, bis in das 15. Jahrhundert reichende Fortdauer sicherten.

Auf den engen Zusammenhang unserer letzten Gruppe mit der gelehrten Bildung, mit dem Schul- und Unterrichtswesen wurde schon hingewiesen. Dasselbe gilt aber auch in nicht geringerem Grade von den übrigen Gedichten; finden sich doch überall, fast in jeder Strophe Anklänge und Reminiscenzen an das Altertum und die Bibel, oft beides zugleich in seltsamer Mischung. — Die Einwirkung der in den Schulen gepflegten Grammatik und Dialektik ersieht man aus den nicht gerade seltenen grammatischen Scherzen, aus dem Spielen mit Worten und Begriffen, eine Erscheinung, die übrigens auch schon in der Antike ihr Vorbild hat. (In dem indicium des Vespa findet sich ganz ähnliches.) Auch die gelehrten Disputationen scheinen nicht ohne Einfluss geblieben zu sein; denn das Gedicht vom Priester und Scholaren z. B. sieht ganz genau wie eine solche aus.

Wie lange und mit welcher Liebe fast alle Stoffe, die wir hier in den lateinischen Denkmälern fanden, in den Nationallitteraturen gepflegt und weiter gebildet wurden, wie sie aus dem Besitz der Gelehrten in den des Volkes übergingen, das mögen uns die nächsten Kapitel zeigen.

---

[1]) Die Vaganten oder Goliarden u. ihre Lieder. In d. Allg. Monatsschrift f. Wissensch. u. Litt. 1853. Vgl. ferner Hubatsch u. Langlois a. a. O.

Zweites Kapitel

Überblick über die französischen und provenzalischen Streitgedichte.

Für die Entwicklung der Streitgedichtlitteratur in den romanischen Landen, unter denen besonders Frankreich und die Provence in Betracht kommen, möge hier ein kurzer Überblick genügen, da eine eingehende Behandlung derselben nicht in den Bereich der vorliegenden Arbeit fällt. Doch wird schon dieser zur Genüge den Zusammenhang mit den alten Stoffen, die wir soeben kennen gelernt haben, darthun; zugleich aber werden wir auch bemerken, dass wir es nicht mit sklavischer Abhängigkeit, sondern mit freier, mitunter ganz selbständiger Weiterbildung zu thun haben.

Dem „conflictus Veris et Hiemis" entsprechen mehrere französische Débats oder Estrifs de l'Yver et de l'Esté, von denen einen Uhland ziemlich eingehend bespricht[1].

Der Gegensatz zwischen Wasser und Wein ist auch mehrfach wieder bearbeitet worden; ich erwähne hier die Disputoison du Vin et de l'Jaue aus dem 13. Jahrhundert, die auch einige eigenartige neue Elemente verwertet; denn neben dem Streit zwischen Wasser und Wein findet sich noch ein solcher zwischen verschiedenen Weinsorten um den Vorzug vor einander[2].

Die Dichtungen „De Florance et de Blancheflor" und „Hueline et Aiglantine" behandeln dasselbe Thema wie der Zwist zwischen

---

[1] Ges. Schriften III, 22. Vgl. ferner Selbach S. 32 und bes. Journal des Savants 1892 S. 157.

[2] Bei Wright, The lat. poems . . . S. 299. Vgl. Selbach S. 32 und Romania XVI, 366.

Phyllis und Flora. Ihre Bedeutung und ihr Verhältnis zu dem lateinischen Gedicht bespricht J. Grimm [1]).

Auch der Krieg zwischen L e i b u n d S e e l e hat mehrfach Bearbeitungen gefunden [2]), wie auch jene Variation, der Streit zwischen H e r z u n d A u g e, in dem „débat du Cuer et de l'Ocil", und zwar ziemlich selbständig wieder dargestellt worden ist [3]). — Für andere desbats und disputoisons verweise ich mit Selbach auf die Darstellung der Histoire littéraire de la France tom. XXIII, p. 216—234.

Die Gattung des Sängerstreites hat bei den Provenzalen und nach ihrem Muster auch bei den Franzosen eine ganz eigentümliche und hoch etwickelte Ausbildung schon sehr früh in den sogenannten Tenzonen gefunden, deren Wesen und Geschichte bereits mehrfach der Gegenstand eingehender Untersuchungen geworden ist [4]). Ihren Ausführungen schliesse ich mich im Folgenden an.

„Mit dem Namen Tenzone bezeichnen wir" sagt Zenker S. 8 „eine Gattung der provenzalischen Lyrik, welche in rein dramatischer Form einen Dialog in gleichgebauten Strophen zwischen zwei oder mehreren Unterrednern darstellt . . . .

Auf Grund des Inhalts unterscheiden wir zwei Hauptarten von Tenzonen:

1) Solche mit doppel- oder mehrgliedriger Fragestellung in der ersten Strophe (mit joc partit). Ein Dichter legt einem oder mehreren andern eine Frage vor mit der Aufforderung sich für einen der angenommenen Fälle zu entscheiden. Der Gefragte thut dies . . . und der Fragesteller vertritt nun den Satz, den jener ihm übrig gelassen hat. . . . Die Gegner bekämpfen sich durch eine Reihe von Strophen und wählen bisweilen zum Schluss einen oder mehrere Schiedsrichter oder Schiedsrichterinnen, die ihren Streit entscheiden sollen. Dass

---

[1]) Kleine Schriften III. S. 76. Vgl. ferner E. Langlois, Origines et sources du roman de la rose S. 12 ff., wo auch zwei weitere Versionen angeführt sind.

[2]) Vgl. die 2. Anmerkung auf S. 13.

[3]) gedr. b. Wright, The lat. poems . . . im Appendix.

[4]) H. Knobloch, die Streitgedichte im Prov. und Altfrz. Breslau 1886. L. Selbach S. S. 11, 1. Anmkg. R. Zenker, Über d. prov. Tenzone. Leipzig 1888.

einer der beiden sich für besiegt erklärt, findet sich nur einmal.
. . . Das Thema bilden meist Fragen der Minne.

2) Tenzonen, in welchen eine solche Fragestellung fehlt (ohne joc partit). Hier sind wieder zwei Arten zu unterscheiden:

a) solche, in denen die Unterredner sich wirklich oder nur scheinbar feindselig gegenüberstehen, sich angreifen und verhöhnen;

b) solche, in denen sie in freundschaftlichem Wechselgespräch irgend eine Angelegenheit verhandeln.

Offenbar nur eine Nachahmung der eigentlichen Tenzonen sind jene Gedichte, in denen der Autor seine Unterhaltung mit einem ideellen oder vernunftlosen Wesen oder einem Gegenstande darstellt."

Für das Einzelne verweise ich auf die genannten Arbeiten selbst, namentlich auf die eingehenden Analysen jener fingierten Tenzonen bei Selbach S. 35—47 und bei Knobloch S. 22—25.

Von den französischen Streitgedichten dieser Art gilt dasselbe wie von dem provenzalischen. Sie sind keine originellen Erzeugnisse, sondern nur Nachahmungen jener, wie dies besonders aus Knoblochs Vergleich des jeu-parti mit dem joc partit erhellt (S. 57 ff.).

Ganz vereinzelt scheint übrigens eine Tenzone dazustehen, in der beide Parteien fingiert sind. Sie ist von Raimon Escrivan und handelt über den Streit zweier Kriegsmaschienen, Cata und Trabuquet. (Knobloch S. 25.) Doch grade diese Ausnahme erinnert lebhaft an die lateinischen conflictus zweier beliebigen Gegenstände und knüpft ein engeres Band zwischen den beiden Litteraturen.

Dass endlich auch unsere letzte Klasse von Streitgedichten, die Rätselspiele und Weisheitsproben nicht unbekannt und ungepflegt waren, zeigt uns z. B. die „Riote du Monde", ein Dialog zwischen einem König und einem wandernden jongleur, der in seinen Aussprüchen alles ins Lächerliche zieht, sowie mehrere Fassungen der Gespräche von Salomo und Markolf.

Über die beiden genannten Dichtungen sowie über die Verbreitung dieser Motive auch in andern romanischen Ländern handelt ausführlich Kemble in seinem schon citierten Buche über Salomon und Saturnus.

Drittes Kapitel.

Überblick über die skandinavischen und altenglischen Streitgedichte.

Die Gattung des Streitgedichtes nimmt in der skandinavischen Litteratur und in der älteren englischen eine nicht unbedeutende Stellung ein. Doch ist hier die Entwickelung etwas anders, als wir sie bisher verfolgt haben; die Kämpfe um den Vorzug treten fast ganz zurück. Es gehören hierher nur eine norwegische, eine schwedische, eine dänische und zahlreiche englische Fassungen des Streites zwischen Leib und Seele[1]), die ja aber keine Originale, sondern Nachdichtungen sind; sowie zwei mittelenglische Streitgedichte. Das eine, „der dispute between Owl and Nightingale"[2]) enthält einen Streit der beiden Vögel über ihren Gesang, ihre Schönheit und Lebensweise, das andere, ein Seitenstück dazu, einen solchen über den Wert der Frauen zwischen Drossel und Nachtigall[2]). Beide gehören in dieselbe Klasse, wie die conflictus zwischen Ovis und Linum, zwischen Aqua und Vinum, wie die Tenzone zwischen den beiden Kriegsmaschinen.

Dagegen hat sich hier eine andere Art des Streitgedichtes ganz selbständig ausgebildet, die Kampfgespräche zwischen zwei oder mehreren Personen, bei denen es sich durchaus um per-

---

[1]) Vgl. dazu Romania XX, 514, Pauls Grundr. d. germ. Phil. III S. 151 u. Anmkg. 40 dazu, Anglia II, 225.

[2]) Vgl. Körting, Grundr. d. Gesch. d. engl. Litteratur 2. Aufl. S. 81 u. Anmkg. 2 daselbst.

sönliche Invektive handelt, so dass man vielfach diese Gedichte
geradezu als ein Wettschimpfen bezeichnen kann. Dass hier
eine Abhängigkeit von romanischen Einflüssen vorliegt, — wenn
schon etwas Ähnliches in manchen lateinischen Gedichten, namentlich einigen Mönchszänkereien, erscheint, — ist schon
wegen des Alters der Denkmäler mit Entschiedenheit abzulehnen.
Die Ausbildung und Beliebtheit unserer Gattung in ihrem eigen-
artigen Auftreten ist vielmehr ein Seitenstück zu den etwas
anders gestalteten Erzeugnissen anderer Litteraturen, das uns
zugleich in trefflicher Weise einen Hauptcharakterzug germanischen Wesens vorführt, jenen mächtigen Hang zu Kampf
und Streit, der überall in Religion und Sitte, in Volksbrauch
und Dichtung immer und immer wieder zum Durchbruch kommt.
Weiss doch die kräftige, lebhafte Phantasie der Germanen
jegliche Erscheinung der Natur und ihrer Wunder zu beleben
und in die Gestalt von Göttern und Geistern und Helden, von
Riesen und Zwergen, von Unholden und allerhand andern Ge-
schöpfen zu kleiden, die nach ihrer Anschauung einen unendlichen,
immer sich erneuenden Krieg mit einander führen. Doch nicht
nur mythische Vorstellungen sind hier von Einfluss, sondern
auch ein alter Brauch, der übrigens ein genaues Gegenstück
im griechischen Altertume findet, die Gewohnheit, dass sich
kämpfende Helden vor dem ernsten Waffengange erst gründlich
mit kräftigen Worten reizen, wie es uns das Hildebrandslied,
die Dichtungen von Walther von Aquitanien, das Nibelungenlied
hinlänglich zeigen. Diese Eigenarten mochten nun auch mit
dazu beitragen, dass der im ganzen episch gehaltene Ton der
Eddalieder, die ich hier vorzugsweise im Auge habe, nicht selten
verlassen wird, um einem anderen, lebhafteren, eben jenem dia-
logischen der Kampfgespräche Platz zu machen.

Als erstes Beispiel diene uns Lokasenna, ein Lied, das
Simrock schlechthin ein kleines Drama nennt [1]). Loki, der Böse,
hat eben den Asen wieder einen schlimmen Streich gespielt und
kommt nun zu ihrem Gelage in Ägirs Saal, aber nur, um ihre
Freude zu stören. Odin gewährt ihm, um Frieden zu haben,
Sitz und Trunk, aber jener weiss einem jeden der Asen einen

---

[1]) Die Edda. 7. Aufl. Stuttgart 1878. S. 393.

schmählichen Vorwurf zu machen mit boshaften Wendungen und niedrer Gesinnung, und die Beleidigten antworten nun nicht minder rücksichtslos mit harten Worten. Thor endet den Streit, da vor seinem Drohen der Friedensstörer entweicht. — In einem Vortrage, dessen Inhalt in der deutschen Litteraturzeitung 1889, 1057 wiedergegeben ist, sucht Hoffory ebenso wie, von ihm angeregt, M. Hirschfeld in den „Untersuchungen zur Lokasenna, Berlin 1889 = Acta Germanica hrsg. von Henning und Hoffory I" die Auffassung durchzuführen und zu begründen, als ob die alten Skandinavier ein wirkliches Drama besessen hätten und insbesondere, dass die Lokasenna ein solches Götterstück, ein Lustspiel in einem Akte sei, ob mit Recht, wage ich nicht zu entscheiden. Die Kritik[1]) verhält sich jedenfalls durchaus ablehnend zu dieser Ansicht. Simrock hat doch wohl den Ausdruck „ein kleines Drama" nur bildlich und nicht im eigentlichsten Sinne nehmen wollen.

Ein regelrechtes Kampfgespräch ist auch das Hárbarðslióð. Thor, auf der Rückkehr von einer Ostfahrt, kommt an einen Sund und wünscht überzusetzen, aber Harbard (= Odin), der die Rolle des Fergen spielt, weigert ihm diesen Dienst. Die darob sich entspinnende feindliche Unterredung ist äusserst lebhaft und nimmt auch öfters einen dramatischen Charakter an. Der Gegensatz zwischen Thor, dem Vertreter des Bauernstandes und Odin, dem Patron des Adels, tritt hier aufs schärfste hervor[2]), und jeder sucht unter Herabsetzung der Thaten des andern die seinigen möglichst zu rühmen.

Auch in den Heldenliedern finden wir Beispiele für unsere Art, oft mitten in die epische Darstellung eingeschaltet, sodass man deutlich sieht, wie der „dialektische Geist" den Dichter fortriss und ihn bewog, seine Helden selbst sprechen zu lassen, anstatt für sie zu reden. Hierher gehört zunächst das Wortgefecht zwischen Atli und der Riesentochter Hrimgerd im dritten Fragment der Helgaqviða Hiörvarðssonar. Wahre Prachtstücke

---

[1]) Zusammenstellung der Recensionen in den Jahresberichten f. germ. Philologie Jhrgg. XII, S. 172 No. 324 u. XIII, S. 234 No. 259.
[2]) Nach H. Gering, die Edda, Leipzig u. Wien s. a. S. 42. Anmkg. 5.

erhabenen Heldenzankes nennt sodann Simrock [1]) zwei Episoden aus den Liedern von Helgi, dem Hundingstöter (I, 34 ff. und II, 22 ff.), die uns beide ein trotziges Wortgefecht zwischen Sinfjotli und Gudmund vorführen, urwüchsige, kraftvolle Verse, welche man getrost mit den Kampfreden der Helden Homers vergleichen kann.

Als letzte Probe aus den Eddaliedern sei hier noch das schauerliche Gemälde altnordischer Gemütshärte angeführt, welches uns die letzten Strophen (87—100) des grönländischen Liedes von Atli enthüllen. Gudrun hat ihre Brüder, die Giukunge, gerächt und Atli mit Hilfe von Högnis Sohn Niflung tödtlich verwundet. Da fragt noch in der letzten Stunde der König, des sichern Todes bewusst, die grausame Gattin, wer ihm solches Leid zugefügt, und schilt sie nach ihrem frohlockenden Geständnis für diese That. Sie aber wirft ihm jetzt mit bösen Worten all seine Verbrechen vor, und er findet auch noch Kraft genug sich zu verteidigen und ihr gleichschwere Beschuldigungen entgegen zu schleudern. Versöhnend jedoch endet der schreckenvolle Streit insofern, als Gudrun auf Atlis letzte Bitte ihm wenigstens ein würdiges Leichenbegängnis verspricht.

In der angelsächsischen Dichtung ist unsere Gattung ebenfalls vertreten, wie uns z. B. der hitzige Wortwechsel zwischen dem missgünstigen, neidischen Unferð und Beowulf beim Gelage in der Halle des Königs Hroðgar zeigt [2]).

Sängerkriege sind in den uns erhaltenen Denkmälern der nordischen und englischen Litteratur, soweit ich sehe, überhaupt nicht vorhanden, wenn man nicht etwa Deors Klage [3]), dass ihn Heorrenda, ein anderer „leóðcræftig mon" aus seinem Sängeramte am Hofe der Heodeninge verdrängt habe, als Hinweis auf einen solchen auffassen will.

Rätselspiele und Weisheitsproben dagegen stehen hier in höchster Blüte. Ein ganze Anzahl solcher „trials of wit and

---

[1]) Die Edda S. 428. Citiert wird nach der Ausg. v. K. Hildebrand, Paderborn 1876.

[2]) Beowulf v. 499—608.

[3]) Grein, Bibl. d. ags. Poesie I. 278, Schluss. Vgl. dazu Pauls Grundr. II, 1 S. 11.

wisdom which were scarcely less common than trials of strength
and skill in arms" (wie sie Kemble S. 113 nennt) begegnen uns
zunächst in der altnordischen Dichtung. Im Vafþrúdnismál
zieht Odin besonders zu dem Zwecke aus, um die Weisheit des
Weisesten der Riesen zu prüfen. (Str. 1) Zuerst beantwortet
Odin eine Reihe Fragen seines Gegners (bis Str. 18), dann prüft
er den Riesen, nachdem dieser selbst die Bedingung gesetzt hat:
Str. 19, 3: höfði veðja

> vit skulum höllu i,
>
> gestr, um geðspeki. (oder goðspeki?) ˙

Der Gott siegt in diesem Kampfe, der sich um Fragen
mythologischen Inhalts dreht, und der Riese muss seine Niederlage bekennen. Über die Erfüllung jener Bedingung wird nichts
berichtet.

Ganz ähnlich ist das Thema der Alvissmál. Hier ist Thor
der Vertreter der Asen und sein Gegner der Zwerg Alwis,
dem des Gottes Tochter in dessen Abwesenheit verlobt worden
ist; Thor will sie ihm aber nur geben, wenn Alwis zuvor seine
Weisheit in den Geheimnissen der Schöpfung und Mythologie
bewährt. Den Gang dieser Prüfung erzählt unser Lied.

Einen ausführlichen Rätselstreit zwischen König Heiðrek
und Odin, der sich hier Gestumblindi nennt, auch meist
mythischen Inhalts überliefert uns sodann die Hervararsaga[1]).

Erwähnt wird ferner noch ein Streit in der Runenkunde
zwischen Rig Jarl und seinem Sohne Kon::

> Rígsþula 46: Hann vid Rig Jarl
>
> rúnar deildi,
>
> brögðum beitti
>
> ok betr kunni[2]).

Hatten die erwähnten Gedichte keine andere Bestimmung
als der Unterhaltung zu dienen oder etwa die gründlichen
Kenntnisse des Verfassers zu zeigen, so tritt bei einer andern
Gruppe mehr die didaktische Tendenz hervor. Mit ihrer
katechismusartigen Form erinnern diese Stücke der prosaischen

---

[1]) Der Rätselstreit bes. gedruckt im corp. poet. boreale 1883. I, S.
86 ff. vgl. dazu Uhland, ges. Schriften VII, 132.

[2]) Über weitere nordische Rätselstreite vgl. noch Lundell in Pauls Grundriss II, 1. S. 748.

Edda, die ich meine, ziemlich an die lateinischen disputationes oder altercationes derselben Art und machen, ähnlich wie jene, durchaus den Eindruck eines Lehrbuches, das sie ja im Grunde auch waren.

Hierher gehört zunächst schon die ganze umfängliche Gylfaginning, in welcher uns in den Antworten des Hár, Jafnhár und Thridi auf die Fragen des Gylfi (= Gangleri) allmählich die gesamte Schöpfungsgeschichte und Mythologie erzählt wird. Noch mehr tritt der lehrhafte Charakter in den Bragaröður hervor, wo z. B. die Fragen Ägirs nach dem Ursprung der Dichtung und der Herkunft des Dichtermetes ausführlich beantwort werden. und ganz besonders in Snorris Poetik (Skáldskaparmál), wo z. B. eine Anzahl Kenningar ihre Deutung finden, u. a. warum das Gold Sifs Haar oder Otterbusse, oder Fafnirs Lager oder Frodis Mehl genannt werde.

Dass unsere Gattung auch bei den alten Dänen beliebt war, bezeugen uns einige Stellen des Saxo Grammaticus. Die Redekämpfe, von denen er berichtet, sind nie ein Spiel des Zufalls, sondern der eine sucht immer den andern auf in der ausgesprochenen Absicht ihn womöglich an Scharfsinn und Redefertigkeit zu übertreffen. Als Grep von der Ankunft des Erich zu Schiffe hört, „festinus ad mare contendit, quem ceteris diserciorem acceperat exquisitorum verborum acumine tentaturus" [1]. Der Streit wird darauf in lateinischen Distichen mitgeteilt und Erich, der übrigens den Beinamen Disertus trägt, geht als Sieger daraus hervor. Einen andern Wortkampf, der sich diesmal in ganz geheimnisvollen Wendungen abspielt, ficht derselbe Erich mit einem gewissen Frotho aus, bis dieser bekennen muss: „Hereo altercationis anceps, cum intellectum meum obscura ad modum ambage fefelleris. Ad hec Ericus: Premium a te peracti certaminis merui, cui sub inuolucro quedam haud satis intellecta deprompsi [2].

Endlich versucht es noch eine Frau mit diesem Erich, namens Gotwara, deren eximia facundia in einem längeren

---

[1] Saxonis Gram. Gesta Danorum ed. A. Holder. Strassburg 1886. lib. V. S. 132, 16 ff.

[2] ebd. S. 136, 7 ff.

Abschnitt geschildert wird[1]). Sie will sich an jenem, dem
Mörder ihrer Söhne, rächen; „igitur pronunciat adversus Ericum
altercandi collibitum sibi fore certamen, ita ut ipsa torquem
magni ponderis, ille uitam in pignore poneret, aut aurum uin-
cendo, aut letum succumbendo laturus"[2]). Sie beginnt dann den
Streit mit einem im Munde einer Frau höchst unangenehm
klingenden Satze, wird aber durch Erichs noch derbere Antwort bald genötigt, ihre Niederlage zu bekennen.

Die angelsächsische Dichtung pflegte auch mit Vorliebe unsere Gattung, und zwar behandeln die bedeutendsten
Denkmäler die Geschichte von den Wortkämpfen Salomos;
doch ist hier die Rolle des sonst Markolf genannten Gegners
von einem Dämon, Saturn, eingenommen[3]). Wir haben mehrere
Fassungen[4]); die erste, der poetische Salomo und Saturn hat
mit der Sage nichts als die Namen der Sprecher gemein; es
ist eine Geschichte von dem Wesen und den Kräften des als
Person gedachten Pater noster. Daran schliesst sich ein Prosa-
stück, welches im wesentlichen dasselbe noch einmal erzählt,
und dann eine Reihenfolge von Rätseln, wie das erste Stück
in allitterierenden Versen, welche sich die beiden gegenseitig
vorlegen und lösen. Der Inhalt ist durchaus theologisch und
moralisch; er handelt von dem Falle der Engel, von Himmel
und Erde, von den guten und bösen Geistern, die den Menschen
begleiten u. s. f.

Das Gedicht ähnelt einerseits, abgesehen natürlich von der
völlig christlichen Färbung, dem eddischen Liede von Wafthrud-
nir, andererseits jenen gelehrten lateinischen Gesprächen. Ob
übrigens diese Bruchstücke, denn solche sind es, wirklich etwas
Einheitliches sind, stellt Kemble selbst nicht als sicher hin,
wenn er sagt (S. 132): The poetical Salomon and Saturnus, if
indeed there be not two distinct poems of the name. . . .[5])

---

[1]) ebda. S. 121, 18 ff.

[2]) ebda. S. 139, 29 ff.

[3]) cf. darüber „Salman u. Morolf ed. Vogt, Halle 1880" S. LIII ff.

[4]) Sämtlich in Kembles schon genanntem Buche: The Dialogues of Salomon and Saturnus.

[5]) Vgl. über diese Frage noch Wülker, Geschichte der englischen Litteratur. S. 48 fgg.

Dann folgt das prosaische Fragment von Salomo und Saturn, bestehend aus 59 Fragen und Antworten. Natur und Charakter dieses Gespräches sind ernst und feierlich; neben den Stoffen des vorigen Gedichts findet auch die fabulose Naturwissenschaft des Mittelalters ihre Berücksichtigung.

Endlich gehört hierher noch der Dialog zwischen Adrian und Ritheus; doch da von seinen 48 Fragen und Antworten 31 mit ebensovielen des vorigen genau übereinstimmen, wird wohl Kemble recht haben, wenn er beide Dichtungen als Fragmente eines Originals ansieht, wobei hier nur die Namen geändert sind.

Auch in mittelenglischer Zeit fand diese Art Dichtung, besonders die gelehrten theologischen Gespräche mit lehrhafter Tendenz, vielen Beifall, wie eine ganze Anzahl solcher Dispute zeigt, für die ich indessen nur auf die Darstellung Brandls in Pauls Grundriss[1]) verweise, da sie nicht von allgemeiner Bedeutung sind. Daneben lebten auch noch die alten angelsächsischen Dialoge fort, wie z. B. die Übersetzung des einen, die „Questions bitweene the Maister of Oxinford and his Scolar" aus der Mitte des 15. Jahrhunderts zeigt. Über einige andere Dichtungen, die mit in diesen Kreis gehören, wie über den Dialog zwischen Saint Serf and the Devil in Andrew of Vyntouns „Chronykil of Scotland" und die „Demaundes Joyous", eine Sammlung von allerhand lustigen und burlesken Fragen und Rätseln, äussert sich Kemble ausführlicher[2]).

---

[1]) II 1, S. 632, 633, 642, 664. (Aus d. Zeit um 1300.)
[2]) S. 216, 282, 287.

Viertes Kapitel.

Die deutschen Streitgedichte.

Haben die bisher gegebenen Übersichten erwiesen, eine wie weit verbreitete und allgemein beliebte Dichtungsart das Streitgedicht ist, von dem sich überall einige gemeinsame Grundzüge finden, während natürlich auch die selbständige, durch Charakter uud Anlage der verschiedenen Nationen bedingte Entwickelung nicht ausbleibt, so soll die folgende auf Grund eines möglichst umfangreichen Materials vorgenommene Untersuchung zeigen, in welchem Verhältnis die deutschen Streitgedichte zu denen der übrigen Litteraturen stehen, was sich auch hier als gemeinsamer Grundstock heraushebt, und inwiefern sie sich eigenartig ausgebildet haben. Bei der Besprechung halte ich an der bisherigen Dreiteilung fest und wende mich nun zur Behandlung

A. der Kämpfe um den Vorzug.

Nicht alle hierher gehörigen Gedichte lassen sich indessen unter einem Gesichtspunkte betrachten. Wir müssen vielmehr einige Abarten unterscheiden, welche sich um die Haupt-Klasse, den Streit zweier oder mehrerer Personifikationen oder gedachter Personen, herumgruppieren. Zuerst möchte ich da einige Gedichte erwähnen, in denen sich der Dichter gleichsam nicht getraut die Gegenstände, die er gegen einander abwägen will, selbst reden zu lassen, sondern sich begnügt den Wert des einen auf Kosten des andern hervorzuheben.

Hierher gehört zunächst, vielleicht zugleich als ältestes Denkmal der ganzen Gattung in deutscher Sprache ein kleines Gedicht Walthers von der Vogelweide, genannt „Frau

Bohne". (L. S. 17, 25 = W. S. 140) [1]). Es enthält eine drastische Schilderung von dem Unwert der Bohne und dann im zweiten Teile von dem Nutzen des Kornhalms. Wilmanns sagt, eine sichere Deutung des Gedichtes wolle nicht gelingen, aber den Gegensatz zwischen den beiden Dingen erkennt er jedenfalls mit Lachmann als Hauptsache. An einen Zusammenhang dieses Gedichtes mit einem andern Liede Walthers, „vom Halmmessen", (L. 65, 33) ist gewiss nicht zu denken, da ja dort, wie schon Simrock [2]) bemerkt, von einem Lobe des Halmes gar keine Rede ist, während wir doch ein solches schon früher, allerdings ohne jeglichen Gegensatz, in einer Strophe des Spervogel ausgesprochen finden [3]). Ein Weg unser Gedicht zu deuten, wäre der, es einfach als ein Spiel des Witzes aufzufassen, in welchem der Dichter, ähnlich, wie wir es in der lateinischen Dichtung, allerdings da in etwas verschiedener Form, gesehen haben, ohne weiteren Nebenzweck die beiden Dinge nur auf ihren Wert hin vergleicht; aber eine andere Vermutung, auf welche wir später noch zurückkommen, hat wohl mehr Wahrscheinlichkeit für sich, und dann würde das Gedicht in einen ganz anderen Zusammenhang gerückt werden.

Etwas ganz Ähnliches finden wir in drei zusammengehörigen, nach Röthe fälschlich dem Reinmar von Zweter zugeschriebenen Sprüchen über die Erörterung der Frage, ob Milch oder Wein der bessere Stoff sei [4]). In dem ersten Spruche preist der Dichter zunächst die Milch; sie ist unsere Mutter und süsser als Honigseim. Dann wirft er die Frage auf „Die milch und win, mit welchem wolt irs haben?" um sie sogleich selbst zu beantworten. Vom Wein d. h. infolge seines Genusses wird gar mancher begraben, der wohl noch länger am Leben geblieben wäre, hätte er sich mit Milch begnügt; was diese sammelt, zerstreut der Wein. Und doch ist dieser am Ende trotz der argen Gefahren, die er manchmal mit sich bringt,

---

[1]) L.=Ausgabe v. Lachmann 5. Aufl. 1875 von Müllenhof. W.=Ausg. v. Wilmanns 2. Ausg. 1883.

[2]) Ausgabe von 1870. S. 54.

[3]) Minnes. Frühl. 23, 29. 4. Aufl. v. Vogt. 1888. Leipzig.

[4]) Reinmar v. Zweter ed. G. Roethe. Leipzig 1887. S. 555 No. 297 bis 299.

wie der zweite Spruch sie schildert, in weltlicher und kirchlicher Beziehung durchaus der Milch vorzuziehen; denn er ist edler, mit ihm vermischt sich der reine Gott, und diesen selbst geniessen wir im Sakrament mit dem Weine.

Dieses Gedicht scheint mir nichts anderes zu sein als eine Variation zu einem der lateinischen conflictus inter aquam et vinum, deren es gewiss damals noch mehr gab, als uns heute erhalten sind. Das allgemein beliebte Thema gefiel vielleicht auch unserem Dichter, und er hat es nun in seiner Weise und mit der in der Spruchdichtung üblichen Kürze behandelt, wobei er zugleich, um auch etwas Neues zu bringen, das Wasser durch die Milch ersetzte und nun auf ihre Kosten den Wein den Sieg davon tragen liess.

Einer ganz ausnehmenden Beliebtheit erfreute sich diese Verherrlichung eines Gegenstandes auf Kosten eines andern etwas später, im Anfange des 14. Jahrhunderts, bei einem fahrenden Sänger, dem sogenannten Könige vom Odenwald[1]). Ihm macht es besonderes Vergnügen, gewöhnlich von den Dichtern missachtete Dinge oder Tiere zu preisen und zwar im bewussten Gegensatze zu der höfischen Poesie. Unser Spielmannskönig erscheint somit auch als ein Vertreter jener durchaus realistischen und materialistischen Dichtung, die nicht wie Walther und sein Kreis den Frühling sondern den Herbst, nicht zarte, sentimentale Minne sondern leibliche Genüsse, ein leckeres Mahl und einen guten Trunk pries, die nicht mehr Tagelieder sang vom edlen Ritter und seiner frouwe, sondern vom Bauernknecht und seiner Dirne, wie vor allem Neidhart von Reuenthal und Herr Steinmar sie übten. Ganz ähnlich singt unser Dichter in seinen langen Reimereien das Lob des Strohes und erzählt, was man alles daraus verfertigen könne, während er von seidenen Borten nichts wissen will. Er widmet sich völlig der Verherrlichung des Huhnes und der Gans, dieser nützlichen Vögel, während er die „lerchen, troscheln, nahtigal", die Lieblinge der Minnesinger, stolz verachtet.

In seinem ausgedehnten Lobliede auf die Kuh und ihren

---

[1]) Germania XXIII, 193 u. 292 ff. u. K. Bartsch, Beiträge z. Quellenkunde d. altd. Litt. 1886. S. 263 ff.

hohen Wert versteigt er sich sogar zu einem Vergleiche dieses Haustieres mit alten Frauen und stellt es weit über jene;

v. 5: man lint den alten wîben
swenne sie tôt belîben.
daz ist ein michel müewe:
man solt der guoten küewe
linten wohl mit flîze . . . . und

v. 230: man solt einer guoten kuo
billîchen klagen iren lip
danne ein übel alt wîp.

Bei zwei andern Gedichten derselben Art begnügt er sich mit dem Preise des erwählten Nutztieres, des Schafes und Schweines, ohne erst ein Gegenstück zu erwähnen. Das Gedicht vom Schaf hat übrigens mit dem alten conflictus ovis et lini durchaus nichts zu thun und ähnelt ihm nicht im geringsten.

Etwas über ein Jahrhundert später hat uns sodann noch Hans Rosenplüt ein Lied in derselben Manier hinterlassen: „Die lerch und auch die nachtigal“, so genannt nach der Anfangszeile [1]). Er verherrlicht darin diesen Vögeln gegenüber das „Singen“ und Gackern der Hühner, ebenso dann den Gesang der Bauern hinter dem Pfluge im Gegensatze zu den geistlichen Chören und endlich das Geschrei der Schafe, wenn sie Lämmer bringen, vor dem süssen Klange der Saiten.

An diese besondere, kleinere Klasse können wir nun unsere Hauptgruppe anschliessen. Ihr Charakteristikum ist, wie schon bemerkt, genau wie in den lateinischen Gedichten, dass der Verfasser die von ihm gewählten Gegner selbst sprechen lässt. Der Streit dreht sich entweder um ihren eigenen Wert, wie z. B. beim Kampf der Jahreszeiten und dem einer Tugend mit einem Laster, oder um irgend eine Doppelfrage, z. B. ob es besser sei zu lieben oder nicht, ob man lieber einen Geistlichen oder einen Ritter lieben solle u. s. w. Am Schlusse bekennt sich entweder die eine Partei selbst für besiegt, oder es fällt ein Dritter als Schiedsrichter die Entscheidung, manchmal ist dies der Dichter, manchmal auch jemand anders, in den Liebesgedichten z. B. oft Frau Minne. Die Gegner selbst sind

---

[1]) In A. v. Kellers Fastnachtspielen a. d. 15. Jhrhdt. 28.—30. u. 46. Publ. d. litt. Ver. z. Stuttgart. Bd. III S. 1113.

entweder redend eingeführte Gegenstände oder abstrakte Begriffe, erdichtete Personen, Vertreter von Ständen, ū. a.

An erster Stelle haben wir nun, parallel der Anordnung der lateinischen Gedichte den Streit der Jahreszeiten zu betrachten, und zwar wird es hier genügen im Anschluss und unter Hinweis auf Uhlands eingehende Arbeit über diesen Gegenstand[1]) die in Betracht kommenden Gedichte aufzuzählen und einige Ergänzungen hinzuzufügen. Als erstes vollständiges deutsches Streitgedicht dieser Art nach dem conflictus Veris et Hiemis des Alcuin nennt er ein niederrheinisches aus der zweiten Hälfte des 14. Jahrhunderts, „van den zomer und van den winter“ (S. 21). Ein gleichzeitiges mittelniederländisches „abel spel van den winter ende van den zomer“ gehört allerdings schon zur dramatischen Litteratur, ist aber bezeichnend für die Beliebtheit des Stoffes. Das 15. Jahrhundert bietet uns dann ein dreistrophiges Meisterlied über unser Thema[2]), und aus dem Anfange des 16. gehört hierher ein weitverbreitetes Volkslied: „Vom Buchsbaum und Felbinger (= Felber, Fahlweide)[3]).“ Zwar ist der eigentliche Sinn des Gespräches auf den ersten Blick nicht zu erkennen, da sich die beiden Gewächse fast nur über den Wert der Gegenstände streiten, die aus ihnen gefertigt werden können; aber Uhland hat (S. 27) aus einigen charakteristischen Stellen uud namentlich durch Hinweis auf einige ähnliche englische Lieder, den Streit zwischen holy und ivy betreffend, nachgewiesen, dass wir die beiden Pflanzen nur als Symbole des Winters und Sommers aufzufassen haben. Ein wenig später (1538) hat auch Hans Sachs[4]) diesen Kampf behandelt, und zwar in seiner eigenen Weise, indem er nicht, wie sonst üblich, den Sommer, sondern den Winter den Sieg davontragen lässt[5]). Er thut dies, weil er den Verlauf der

---

[1]) Abhandlg. z. d. Volksliedern. Ges. Schriften III, S. 17 ff. Stuttgart 1866.
[2]) Germania V, 284 ff.
[3]) Uhland, Volkslieder No. 9. Bd. I S. 30 ff.
[4]) ed. Keller Bd. 4, 255. (Biblioth. d. litt. Ver. in Stuttgart Publ. 105.)
[5]) Eine Übertragung des Gedichtes ins moderne Hochdeutsch gab C. H. Lützelberger im Album des litter. Ver. in Nürnberg heraus. (Jhrg. 1870.) In der vorausgeschickten Einleitung beschränkt sich aber L. im wesentlichen auf das Lob der Fensterscheiben von Glas. Er meint, H. Sachs hätte gewiss den Winter nicht siegen lassen, wenn er, statt hinter seinen gläsernen

ganzen Handlung auf den Anfang der kalten Jahreszeit verlegt, und er überhaupt derartige Änderungen an alten Stoffen liebt. Zwei weitere Bearbeitungen desselben Themas durch H. Sachs sind Uhland entgangen. Die eine [1]) aus dem Jahre 1539 gehört allerdings streng genommen nicht in unser Gebiet, da sie nur in epischer Form den Kampf berichtet. Die andere dagegen aus dem Jahre 1565, überschrieben: „Ain schöner perck-rayen von Somer und Winter [2])" ist ein richtiges Streitgedicht, ähnelt ziemlich dem ersten und endet wie dieses mit dem Siege des Winters. Zwei Druckblätter aus den Jahren 1576 und 1580 haben uns dann ein weiteres Kampflied erhalten [3]), und als letztes führt Uhland ein schweizerisches, gedruckt in Toblers Appenzeller Sprachschatz, an, welches übrigens ausdrücklich nur als Text zu einer mimischen Darstellung bezeugt ist. Dazu kommen noch mehrere, erst in jüngerer Zeit bekannt gewordene Fassungen [4]). Der Überlieferung nach sind zwar diese Gedichte alle recht jung, aber zum Teil dürften sie wohl schon früher existiert haben; und da der Gedanke an den Kampf der Jahreszeiten, wie wir wissen, auf uralte Volksvorstellungen zurückgeht, die auch vielfach in scenischen Aufführungen und Mum-

---

Butzenscheiben zu dichten, hinter den alten Fenstern von Tuch oder geöltem Papier hätte sitzen müssen!

[1]) ed. Keller Bd. 4, 263.

[2]) ed. Keller u. Goetze Bd. 23, 253. (Litt. Verein i. Stuttg. 207.)

[3]) Uhland, Volkslieder No. 8. Bd. I, S. 23.

[4]) Der Vollständigkeit wegen sammle ich hier die Stellen, wo sie gedruckt sind: 1) Wöchentliche Nachrichten für Freunde der Geschichte u. s. w. des Mittelalters hrsg. v. Büsching I, 226 (Breslau 1816) aus Steiermark, Text zu einer Aufführung. 2) Panzer, Beitrag zur deutschen Mythologie I, 253 (München 1848) aus Ober-Bayern, auch Text zu einer Aufführung. 3) Fränkische Volkslieder, hrsg. v. Ditfurth Teil II, 286, No. 378 (Leipzig 1855) mit Melodie. 4) Deutsche Volkslieder aus Böhmen, redigiert v. Hruschka u. Toischer S. 48—50, No. 70—72 (Prag 1891). Aus dem Erzgebirge, dem westlichen Böhmen und Gablonz. 5) M. V. Süss, Salzburger Volkslieder S. 267 bis 272. 6) Zeitschrift d. Vereins für Volkskunde hrsg. v. Weinhold 1893 S. 226. Aus Hartlieb bei Breslau. 7) Mitteilungen d. Schles. Gesellschaft für Volkskunde hrsg. v. Vogt u. Jiriczek, Breslau, Jhrg. 1895/96 S. 68 u. 100, Jhrg. 1896 S. 30. (Doch sind dies nur Anzeigen neu gefundener Fassungen, keine Texte.) Zum Teil sind diese Gedichte wieder abgedruckt in Erk u. Böhmes deutschem Liederhort Bd. III, S. 11 ffg. (Leipzig 1894.)

mereien Ausdruck gefunden haben[1]), so glaubte ich auch für diesen Fall die mir gesteckte Grenze, den Schluss des 15. Jahrhunderts, überschreiten zu dürfen, um alle diese Denkmäler im Zusammenhange anführen zu können.

Ungenannt bleibt bei Uhland ein Gedicht, welches allerdings nicht auf die alte Vorstellung vom Kampfe zwischen Sommer und Winter zurückgeht, sondern nur noch ganz dunkele Erinnerungen an einen Streit der Jahreszeiten überhaupt zu zeigen scheint. Vielleicht verdankt es aber auch nur der Laune des Dichters, einmal willkürlich das Hergebrachte zu verändern, oder der Lust an der Gattung der Streitlieder als solcher, seine Entstehung; es ist: Ain krieg von dem Mayen und von dem Augst mon[2]) mit folgendem Inhalt: Nach der Bemerkung, dass überall in der Welt Neid, Hass und Streit herrscht, erzählt der Dichter zum Beweise dafür, wie er einst auch einen scharfen Strauss zwischen dem Mai und August habe ausfechten hören. Der Mai rühmt sich als die schönste Zeit des Jahres, in der sich zugleich alle Keime entwickelten, die der August später zur Reife bringe. Ärgerlich darüber sucht jener darzuthun, dass Hornung, März und April ebensoviel Ansprüche auf Lob hätten, als der Wonnemond oder sogar noch mehr. Dieser antwortet nun heftig und tadelt den Gegner vor allem wegen seiner sengenden Glut, die alles vernichte. Doch der angegriffene weiss sich auch dagegen zu verteidigen: seine heissen Strahlen seien ein Quell des Vergnügens für den feurigen Salamander und den Vogel Phönix, der sich in ihnen „renormieret". Aber auch abgesehen davon sei er dem Mai bedeutend vorzuziehen; denn während jener mit seinen Blumen und Blüten höchstens dem Vergnügen diene, erhalte und ernähre er, der Nützliche, mit seinen Früchten gar viele Wesen. — Zum Schlusse bekennt der Dichter, er wisse nicht, wem er den Preis erteilen solle, und wendet sich mit der Bitte um Auskunft und Belehrung darüber an einen Kreis edler Frauen.

---

[1]) Vgl. darüber bes. J. Grimm, deutsche Mythol. 4. Aufl. Bd. II Kap. 24 u. Vogt in der Zeitschr. d. Ver. f. Volkskunde hrsg. v. Weinhold 1893 S. 226 fgg. u. 356 ffg.

[2]) Liederbuch d. Klara Hätzlerin ed. Haltaus. Quedlinburg u. Leipzig 1840. S. 248, No. 60.

Ein kurzer Hinweis erinnere endlich noch daran, dass auch
sonst in der Dichtung der Streit und der Gegensatz der Jahreszeiten sehr häufig deutlich zum Vorschein kommt [1]); auch in der
„Dörperpoesie" ist er scharf ausgeprägt, wie zwei Beispiele
beweisen mögen. Zunächst denke ich ausser an Steinmar und
Hadloub an Pseudo-Neidharts „Gefrässlied" [2]), in welchem der Dichter in bestimmt hervorgekehrtem Gegensatze
nicht den lieblichen Lenz, sondern den Herbst mit seinen
reelleren Freuden preist und schildert, wie dieser jenen verdrängt hat. Sodann gehört hierher das Gedicht: Dis ist
von dem herbste und von dem meigen [3]), welches wegen
der eigentümlichen Behandlung unseres Kampfes interessant ist.
Herbst und Mai erscheinen nämlich nicht wie sonst in my-
thischem sondern durchaus in einem märchenhaften Gewande,
und es handelt sich hier auch nicht um einen Streit mit Worten,
sondern mit Waffen, dessen Verlauf uns erzählt wird. Des
Maien Waffen sind nur Blumen, Blüten und Gräser, die des
Herbstes bestehen in Esswaren, sein Pferd ist ein Weinfass.
In dem Kampfe, zu dem Herr Meige herausgefordert hat, gelingt
es ihm zwar des Herbstes Ross zu verwunden, aber er selbst
ertrinkt in dem hervorquellenden Moste.

Weniger beliebt war in der deutschen Litteratur die Art,
welche den lateinischen conflictus inter vinum et aquam oder
inter ovem et linum entspräche. Vielleicht mochte es den
deutschen Dichtern doch zu hart erscheinen solch konkreten
Dingen oder Tieren ausserhalb der Fabeldichtung, wo dies ja
eine hergebrachte Erscheinung ist, Sinn und Rede zu verleihen.
Die Gedichte, welche man stofflich hierher rechnen könnte,
waren, wie wir sahen, doch in der Einkleidungsform abweichend
— der Dichter sprach, nicht die Dinge selbst — und das Lied
vom Buchsbaum und Felbinger, welches die Anforderung an
die Form erfüllt, steht doch wieder inhaltlich dem Streit der

---

[1]) Eine grosse Zahl der hierhergehörigen Stellen, wenn auch nicht alle,
s. bei J. Grimm, deutsche Mythol. [4] Bd. II 633—635.

[2]) Liederbuch d. Kl. Hätzlerin. S. 70, No. 91.

[3]) Sammlg. deutscher Ged. a. d. 12.—14. Jhrhdt. hgg. v. Myller Bd. III,
Fragm. S. XXIX u. Keller, Erzählungen a. altd. Hands. S. 588.

Jahreszeiten näher. Nur der Kampf zwischen Wasser und Wein hat sich länger erhalten; allein gerade für unseren Zeitraum fehlen Aufzeichnungen. Die ältesten, die wir kennen, stammen erst aus dem 16. Jahrhundert [1]). Es bleiben uns für diese Gruppe nur wenige Gedichte. Das eine behandelt einen Streit zwischen Henne und Fisch [2]); es beginnt:

> Ic kwam eyns tags an eyn bach
> Da ich hoert und sach
> Eyn hennen mit eynem fische kriegen.

Beide werfen sich gegenseitig die Gefahren vor, denen ihr Leben stets ausgesetzt ist, was der angegriffene Teil immer bestreitet und die grössere Unsicherheit im Leben dem andern zuschiebt. Beide zanken sich so lange, bis ein Otter und ein Fuchs kommt, und dieser den Fisch, jener die Henne auffrisst, eine Möglichkeit, an welche die Gegner in ihrer Sorge über die Gefährlichkeit des Menschen gar nicht gedacht hatten. — Jedenfalls kann man aber dieses Gedicht ebensogut als Fabel wie als Streitgedicht auffassen.

Die beiden noch übrigen hierher gehörigen, übrigens äusserst obscönen Gedichte behandeln ein und denselben Stoff. Das eine, ein Bruchstück, heisst „Von gold und vom knecht" [3]), wo doch wenigstens der eine Gegner ein wesenloses Ding ist, das andere trägt die Überschrift: „ainsmals da waren in krieg ain gold und ain zagel, welches dy lieb der frauen erkriegen boldt" [4]), die hier zugleich eine Angabe des wenig erquicklichen Inhalts ersetzen mag.

Dagegen hat sich die folgende Gruppe, die Streitgedichte über ein Thema aus dem Liebesleben, ausserordentlich gut eingebürgert. Das älteste der Denkmäler dieser Art ist ein

---

[1]) Ein Text von c. 1530 bei Erk-Böhme, deutscher Liederhort III S. 23. Eine Bearbeitung bei H. Sachs ed. Keller IV, 247 (von 1536). Ein neuerer Text bei Böckel, deutsche Volkslieder aus Ober-Hessen (Marburg 1885) S. 8. Weitere Versionen sind nachgewiesen ebenda S. 108, 109 in der Anmerkung zu No. 8.

[2]) A. v. Keller, Erzählungen aus altd. Hands. S. 570. (Litt. Verein z. Stuttgart 35.)

[3]) ebd. S. 435.

[4]) ebd. S. 437,

Jugendwerk Hartmanns von Aue, sein erstes Büchlein[1]),
in dem zugleich die auffällige Einkleidung eines profanen Stoffes
in eine Form zu beachten ist, die sonst nur der geistlichen
Dichtung zukommt. Hartmann giebt nämlich seinem Liebes-
schmerz in einem Gespräch zwischen Herz und Leib Ausdruck, die sich zunächst gegenseitig die grösste Schuld an den
Leiden des Dichters zuzuschieben suchen. Bald aber nimmt der
Dialog einen versöhnlicheren Ausdruck an, indem das Herz dem
Leibe gute Ratschläge erteilt, wie am besten die Huld und
Minne der geliebten Herrin zu gewinnen sei. Schliesslich bittet
es den Leib sich als Fürsprecher für den Dichter zu der frouwe
zu begeben; das thut er denn auch gern und entledigt sich
seiner Aufgabe in Form einer begeisterten, leidenschaftlichen
Liebeserklärung in überaus kunstvollen, zierlichen Versen.

Einige Ähnlichkeit in der Anlage, wenigstens der Hauptsache nach, mit diesem Büchlein zeigt ein späteres Gedicht:
Ain mynn red von hertzen und von leib[2]), das ich deswegen hier gleich anschliesse.

Es beginnt mit der novellistisch-allegorischen Schilderung
einer fingierten Situation, hier wie oft mit der eines Spazier-
ganges, wie sie im ganzen Mittelalter ausserordentlich beliebt
und geradezu typisch ist, deren Anfänge wir auch schon in der
lateinischen Dichtung wahrnehmen konnten. Der Dichter kommt
an einem schönen Maienmorgen in einen Wald und findet dort
an einem herrlichen, verborgenen Orte die Residenz der Frau
Minne und ihrer Begleiterinnen, der Stätigkeit, Tugend, Zucht
und Scham, die da alle fröhlich singen und tanzen. Auf Wunsch
der Herrin erklärt er, dass er sie schon längst gesucht habe
und sich nun freue, ihr endlich einmal sein Liebesleid klagen
zu können. Frau Minnens nähere Fragen beantworten nun abwechselnd Herz und Leib des Dichters. Dieses rühmt sich
einen würdigen Gegenstand seiner Neigung gefunden zu haben
und ist gern bereit den Lohn oder Genuss mit dem Leibe zu
teilen. Der aber zeigt sich dafür nicht empfänglich und beklagt

---

[1]) Der arme Heinrich u. d. Büchlein v. Hartmann ed. Haupt, 2. Aufl.
v. Martin. Leipzig 1881. Vgl. auch die ausführliche Analyse des Gedichtes
bei Schönbach, Über Hartmann von Aue, Graz 1894. S. 232 fgg.

[2]) Liederb. d. Hätzlerin, S. 211, No. 47.

sich vor allem über die grosse Pein, die ihm die Liebe stets bereite; Sehnen und Seufzen, Schweiss und Elend sei sein Los. Das Herz wird nun immer nachgiebiger, es will nur die Ehre für sich haben und den Nutzen dem Leibe überlassen. Dieser geht denn auch schliesslich darauf ein, bittet aber flehentlich Frau Venus um Auskunft, wie er „der minne pflicht" gewönne. Willig wird ihm diese erteilt, und der Dichter zieht nun befriedigt von hinnen.

In engem Zusammenhange mit der alten lateinischen Poesie steht ein Gedicht, welches in seinen Grundgedanken grosse Ähnlichkeit mit Phyllis und Flora zeigt, während sich in den Einzelheiten mehrere Abweichungen finden, das Werk des Heinzelein von Konstanz († 1298): Von dem ritter und von dem pfaffen[1]). Wie Phyllis und Flora mit einer prächtigen Naturschilderung begann, so auch unser Gedicht — aber es zeichnet uns nicht einen schönen Sommertag wie jenes, sondern den Winter, ein Zeichen, dass es nicht mehr der Blütezeit angehört. Dann folgt die bekannte, typische Beschreibung der von dem Dichter angenommenen Sachlage, die übrigens hier manches an Klarheit zu wünschen übrig lässt. Er erzählt nur, wie er in einer recht kalten Nacht, weswegen er sich auch selbst einen sinnelôsen man nennt, zu einer Stubenwand geht und dort zwischen zwei Frauen — die schönsten ihres Geschlechtes möchte er sie fast nennen — folgenden Streit belauscht. Die eine bittet die andere um Beantwortung der Frage:

> wâ mac ein wîp ir minne
> bewenden aller beste?

und erhält die Auskunft: An einen Ritter, während der Fragerin selbst ein kluoger pfaffe viel angemessener erscheint. Wie in dem lateinischen Gedicht folgt nun ein ziemlich hitziger und ausgedehnter Streit, der besonders von der Verteidigerin des geistlichen Standes mit so spitzfindigen Argumenten geführt wird, dass schliesslich die andere aus Verzweifelung über derartige Sophistik auf eine Fortsetzung des

---

[1]) H. v. Konstanz ed. Pfeiffer. Leipzig 1852. S. 99 ff. Vgl. auch F. Höhne, die Gedichte des H. v. Konstanz und die Minnelehre, Leipziger Dissert. 1894. S. 41 fgg.

Kampfes verzichtet und an die Entscheidung der Frau Minne, der billigen Richterin in solchen Fragen, appelliert. Gern und siegesgewiss willigt jene ein, und so wird denn ein gemeiner tac für dieses Gericht angesetzt. Zwar würde der Dichter auch gern den Ausfall der Entscheidung anhören, da aber die Frauen sich jetzt trennen und weggehen, so schleicht auch er davon und schliesst damit — wenn auch nicht gerade sehr geschickt — sein Gedicht. Vielleicht fürchtete der Verfasser, der gewiss ein recht frommer Mann war und ausserdem ja im Dienste eines Grafen stand, durch eine klare, endgiltige Entscheidung einem der in Betracht kommenden Stände zu nahe zu treten und wählte darum diesen Ausweg.

An dieses Gedicht schliessen sich einige andere an, die sich in ganz ähnlicher Weise mit der Frage beschäftigen, welcher Stand sich am besten zur Liebe eigne. In dem zunächst hierher gehörigen, „Von zwain swestern, wie aine die andern straffet"[1]) streiten sich zwei Ritterstöchter darüber, ob ein Edelfräulein nur einem Adeligen oder auch einem Bürgerlichen ihre Liebe schenken dürfe. Die ältere Schwester liebt nun wirklich einen Bürgerssohn; sie wird aber in dem heftigen Wortwechsel von der jüngeren, die sich geziemendermassen einen ebenbürtigen Liebsten auserkoren hat, hart gescholten und auch endlich zur Einsicht ihrer tadelnswerten Handlungsweise gebracht. Doch nun ist die Bekehrte in Verlegenheit, was sie thun soll, denn behalten mag sie den früheren Geliebten nicht mehr, und lässt sie ihn, so fürchtet sie den Vorwurf der Unstätigkeit. Während sie noch diese Zweifel zu ihrer Schwester äussert, erscheint plötzlich zwischen beiden eine Frau mit einem Strausse in der Hand, welche sich bald als „fraw mynn, der lieb schulmaistrin" zu erkennen giebt. Gegen die leichte Busse einiger Schläge auf die schöne, weisse Hand der Sünderin gewährt sie ihr schnelle Verzeihung, da sie ja selbst ihr Unrecht eingesehen und Besserung gelobt hat.

Im entgegengesetzten Sinne beantwortet dieselbe Frage ein Gedicht Oswalds von Wolkenstein[2]). Ein purger und ein hofman tisputirn darin,

---

1) Liederbuch d. Kl. Hätzlerin. S. 163, No. 18.
2) ed. Beda Weber, Innsbruck 1847, S. 118.

> welher bas möcht geben
> den freulîn hôhen můt.

Eine alte Kupplerin ist obman. Der junge Edelmann unterliegt mit dem Preise seiner Schönheit und seiner höfischen Kunstfertigkeiten gegenüber dem Reichtum und der Freigebigkeit des Bürgers. Als die Alte zu Gunsten dieses entscheidet, schlägt jener ihr einige Zähne aus, wofür sie aber der andere durch eine reichliche Spende entschädigt. — Das Gedicht ist durchaus scherzhaft gehalten, eine Verspottung des armen Adels und seiner brotlosen Künste, ein Loblied auf materielle Güter.

Eine dritte Auskunft giebt sodann ein Gedicht rein lehrhafter Natur[1]), welches die Frage, ob ein Ritter oder Knecht (= Knappe) der Liebe würdiger sei, dahin entscheidet, dass man in erster Linie auf Charakter und Tüchtigkeit und erst dann auf den Stand zu sehen habe.

Hierher gehört auch der „widertail" des Peter Suchenwirt[2]) († nach 1395). Der Dichter belauscht wieder in einem Garten den Streit zweier Frauen; die eine, blau gekleidet, ist die Stäte, die andre, Frau Minne, hat sich in bunte Gewänder gehüllt, als ob sie die Unstäte sei. Die Blaue verteidigt es, dass sie sich zum Geliebten einen wackeren, tapferen, tugendsamen Ritter aus der guten, alten Zeit erwählt habe, die andere, dass sie einen feinen, wenn auch feigen, geckenhaften Zierling der neuen, verderbten Zeit vorziehe — übrigens eine ganz entsprechende, wenn auch natürlich völlig davon unabhängige Gegenüberstellung wie in dem Streit der Logoi des Aristophanes —. Zuletzt, als sich die Blaue in keiner Weise erschüttern lässt, lüftet die Gegnerin ein wenig den Saum ihres Obergewandes und giebt sich durch ihr rotes Kleid, das Abzeichen der Minne, als diese zu erkennen. Nachdem sie erklärt, sie habe die Freundin nur prüfen wollen, vollenden Umarmung und Kuss die Versöhnung nach dem scheinbar feindlichen Streite.

In einigen weiteren Gedichten, die auch noch denselben

---

[1]) Lassberg, Liedersaal III, 213.
[2]) P. S.'s Werke ed. Primisser, Wien 1827. S. 88, No. 28.

Einfluss verraten, verteidigt ein Minner von Beruf seinen Stand
gegen den Angehörigen eines andern. Das eine, „der Minner
und der Kriegsmann" [1]), erzählt uns von dem ersteren, wie er
nach Hofe reitet und unterwegs einem Ritter begegnet. Auf
dessen Frage, ob er nicht ebendort Dienste nehmen könnte,
berichtet er, es handle sich nicht um Kriegs-, sondern um Minne-
dienst und erklärt die Bedeutung desselben. Als er aber auf
das Forschen nach dem Lohne nur die Huld der Frauen als solchen
nennt, da verhöhnt der Ritter die Thorheit seines Gegners,
dessen Dienst und Leben ja gar nichts wert sei, und preist dafür
die Vorteile seines Standes. Eine Zeit lang wogt nun der
Streit hin und her, den übrigens der Minner recht ungeschickt
führt, da er selbst die Nachteile seines Berufs anerkennt, ohne
dafür genügende Vorteile ins Feld führen zu können. So vermag
er denn auch den Ritter nicht zu überzeugen, und dieser eilt,
nachdem er des Längeren seine Ansichten dargethan, um in
einem fröhlichen Kriege im Dienste eines freigebigen Herrn
seinen Unterhalt für den nächsten Winter zu verdienen.

Ein ähnliches Gedicht schildert uns den Gegensatz zwischen
einem Minner und einem Trinker [2]) (eigentlich luoderer d. i.
Schlemmer, Weichling). Auf einem Gefilde sieht der Dichter
zwei Männer in hartem Wortkampfe, den er belauscht und uns
mitteilt. Der Trinker bedauert zunächst seinen Gegner, der
„durch wibes minnen swaere liden" muss, und rühmt dagegen
sich, der „den win für alle wip" liebe. Entrüstet schilt ihn
der Minner und sagt, er finde das höchste Glück darin, sein
Liebchen zu küssen; dann sei „nie kaiser sin genoz". In recht
lebhafter Form und mit manch kerniger Grobheit gewürzt geht
dann der Streit weiter, ohne jedoch zu einer Entscheidung zu
kommen. Ja, am Schlusse ruft der Dichter launig seinen Zu-
hörern oder Lesern zu:

> Wer sie nu wol schaiden
> der sum sich nit ze lange
> e daz der schad ergange.

Das Gedicht zeichnet sich durch seinen frischen, lebhaften
Ton aus und ist wohl mit zu jener „Dörperpoesie" zu rechnen,

---

[1]) Lassberg, Liedersaal II. Nr. 90 (S. 25.)
[2]) Lassberg, Liedersaal II. No. 329 (S. 329).

die es sich zur Aufgabe macht, die Ideale des Rittertums zu karrikieren und dafür die reellen Freuden des Lebens an erste Stelle zu setzen.

Eine Abwägung der Freuden und Leiden, welche der Stand eines Minners, Spielers und Trinkers mit sich bringt, bietet auch, wenngleich nicht in der Form eines regelrechten Streitgedichtes, ein Meisterlied der Kolmarer Handschrift[1]), in dem der Trinker als Sieger hervorgeht.

Eine fernere Gruppe von Liebesgedichten beschäftigt sich mit der Frage über den Wert der Minne, und zwar stellen wir die voran, in denen der Dichter die Liebe selbst redend einführt und sie mit einem andern personifizierten Begriffe, zunächst mit der Schönheit um den Vorzug streiten lässt. Den ersten Versuch zu einem Streitgedicht über dieses Thema macht Herr Reinmar von Brennenberg[2]), wahrscheinlich angeregt durch eine Äusserung seines Meisters und Lehrers Walther, der in einem seiner Lieder[3]) die Liebe ausdrücklich im Gegensatze zur Schönheit verherrlichte. Doch ist dieser Versuch nicht gerade glänzend ausgefallen. Ohne jede Einleitung beginnt er: „Die liebe zuo der schoene sprach" und lässt sie nun ihren eigenen Wert verkünden. Mit der dritten Zeile beginnt die Schönheit ihre Rede: „Ich bin noch höher und würdiger als du". So geht dies abwechselnd durch vierundzwanzig Verszeilen weiter, meist in kurzen, abgehackten Sätzen. Am Schlusse spricht der Dichter selbst und giebt sein Urteil dahin ab, dass beide in gleichem Masse hohen Preis verdienten, dass aber die eine ohne die andere immer unvollkommen bleibe; vereint jedoch fügten sie sich besser zu einander als der lichte Rubin zum klaren Golde.

Eine zweite, umfassendere, aber auch nicht viel geschicktere Behandlung hat sodann ein anderer, ungenannter Dichter diesem Thema angedeihen lassen[4]). Er sieht einst — es wird gar nichts Näheres angegeben — zwei schöne Gestalten streiten und teilt den Verlauf des Kampfes mit. Die Schöne rühmt

---

[1]) ed. K. Bartsch. No. 126, S. 493. (Bibl. d. Stuttg. litter. Vereins Publ. 68).
[2]) v. d. Hagen, Minnesinger I., 337,10 — 338,12.
[3]) L. 49,25 ff.
[4]) Myller, Sammlg. deutscher Ged. II. Band. Fragmente S. XXXIV.

sich zuerst des höheren Preises wert zu sein und nennt sich sogar die Vorbedingung zur Minne. Diese aber vermag in ihrer Erwiderung der Gegnerin ihre Übermacht so überzeugend nachzuweisen, dass jene, ,erbermecliche‘ spricht: „Ich will dir bis an mein Lebensende unterthan sein, nur vergieb mir meine unbedachten Worte“. Die Liebe meint zwar, sie fände Leute genug, die von Anfang an so klug seien ihre Oberherrschaft anzuerkennen; aber da sie nun einmal um ihre Freundschaft und Verzeihung gebeten habe, so wolle sie diese auch huldvoll gewähren; denn „schoene ane lieb ist üppeclich“. — Eine andere Fassung desselben Gedichtes [1]) fügt an diesen Schluss noch einige Verse zur Verherrlichung der Liebe.

In recht anmutiger Form wusste dagegen Peter Suchenwirt [2]) den vielbeliebten Stoff zu behandeln. In der reflektierenden Einleitung, die in der typischen Weise Natur und Sachlage schildert, erzählt er, wie er an einem Brunnen zwei herrliche Frauen, die Liebe und die Schöne, belauscht. Zwischen beiden erhebt sich ein Streit, wer von ihnen — und das ist ein neues und ganz geschicktes Motiv — als die edlere und würdigere zuerst trinken soll. Das eigentliche Wortgefecht, in dem sie ihre Vorzüge wider einander geltend machen, dauert nur kurze Zeit (v. 86—133). Dann erscheint Frau Minne und entscheidet, wenn auch nicht gerade in sehr klaren Ausdrücken, den Streit zu Gunsten der Liebe. Beide ziehen darauf versöhnt von dannen, nachdem sie getrunken, und der Dichter schliesst mit einem Worte des Lobes zu Ehren der Liebe.

Auch in niederdeutscher Sprache ist uns ein Streit zwischen Liebe und Schöne als Episode eines grösseren Gedichtes, „des Minners Anklagen“ in einer Handschrift von 1431 erhalten [3]). Schönheit und Liebe werden von einem unglücklich Liebenden bezichtigt ihm seine Leiden verursacht zu haben; aber beide weisen die ihnen gemachten Vorwürfe zurück, indem sie sich gegenseitig alle Schuld zuschieben. Dies ist der wesentliche Inhalt des eigentlichen Streitgedichtes, welches mit noch einem

---

[1]) Keller, Erzählgn. a. altd. Hs. S. 624.

[2]) ed. Primisser. Nr. 46. S. 150.

[3]) Herausgeg. v. Seelmann i. d. Jahrbuch d. Ver. f. niederdeutsche Sprachforschung VIII. S. 43 ff.

Versuche des Minners, die beiden zu versöhnen, die ersten
352 Verse des ganzen Werkes einnimmt. Der Rest führt die
Geschichte des Liebenden in der beliebten allegorischen Form
weiter. Seelmann meint, dass das Gedicht nichts als die Um-
schrift einer hochdeutschen Vorlage in das Niederdeutsche sei,
die uns allerdings unbekannt ist, da die erwähnten Kämpfe
zwischen Liebe und Schöne doch anders gehalten sind.

Eine andere Gegnerin giebt der Minne Heinrich von
Meissen, der Frauenlob, in einem grösseren Streitgedichte
„minne und werlt"[1]), welches sowohl durch seinen Umfang
— es besteht aus 21 zwölfzeiligen Strophen — als auch durch
Anlage, Inhalt und Stil von den bisherigen ziemlich bedeutend
unterscheidet. In den beiden Anfangsstrophen spricht der Dichter.
Er hat der Minne und der Welt Kraft abgewogen, kann aber
weder sich über sie erheben, noch eine von ihnen entbehren.
Doch die Minne scheint ihm die bedeutendere zu sein; er fasst
sie auf als das erhaltende Prinzip der Welt, alles verlangt nach
ihr, ist von ihr beseelt. — Minne ist also hier, wie Etmüller
bemerkt, durchaus nicht nur in dem gewöhnlichen Sinne zu
fassen, sondern sie entspricht etwa dem Ἔρως Φάνης der Or-
phiker und des Hesiod, der sich auch bei Plato noch findet.
Wahrscheinlich hat unser gelehrter Dichter diese Anschauung
aus irgend einem mittelalterlichen Philosophen, der sie noch
enthielt, geschöpft und ihr nun in seiner Weise Ausdruck ge-
gegeben. Wenn es übrigens erlaubt ist aus der modernen
Dichtung ein Beispiel für die gleiche Vorstellungsweise heran-
zuziehen, so kann man an unsern Schiller erinnern, in dessen
Jugendgedichten, den Lauraoden, der Freundschaft, dem Triumph
der Liebe, sich ja gleichfalls „Liebe und Sympathie" als schöpfe-
risches und erhaltendes Prinzip der Welt darstellen. — Doch
zurück zu unserem Gedicht. Frauenlob denkt sich wohl Minne
und Welt in persönlicher Gestalt vor seinen Augen; denn sobald
er das Wesen der Minne erläutert, wendet er sich zu der Welt
und spricht: „sich, Werlt, des wis ir undertân". Dann betrachtet

---

[1]) ed. Ettmüller, Quedlinburg und Leipzig 1843. Nr. 424—444. S.
235—242.

[2]) Theogonie v. 116—122.

er diese etwas genauer und muss sich auch ihr gegenüber zu grosser Dankbarkeit bekennen, da sie ihm sein Liebstes, sein Weib, gegeben habe. Drum meint er jetzt: „nu lâzâ, Minne, mich ân nôt". Nun aber ergreift diese selbst das Wort und tadelt den Dichter: „Wes dankest dû der Werlt? Lâ mich die wirde haben!" Sie schreibt sich selbst das Verdienst zu, ihm zu seinem Weibe verholfen zu haben, und wendet sich dann an die Gegnerin: „ei, Werlt, wes mizzest dû dich her?" In ihrer Entgegnung nennt diese nun sich die Urheberin und Wirkerin aller Dinge, durch sie sei überhaupt erst die Minne entstanden und möglich. Es folgt dann ein äusserst lebhafter und oft etwas derber Streit zwischen ihnen, in dem alle möglichen Beweisgründe aus Philosophie und Theologie beigebracht werden; die eine schilt die andere und verherrlicht sich, bis endlich die Minne nach des Dichters schon vorgefasster Meinung folgendermassen triumphierend den Sieg davonträgt: (444, 5)

Git, vrâzheit, zorn, haz unde nît ich niht enkan.

swer under uns zwein solch ambet treit,

der slehet lip und sêle tôt.

sit dû daz tuost, wie tarstu sweigen mînen munt?

Din rede niht scheit

got unde mich: wir blîben ein; diu schrift daz seit.

dîn valscheit gar dâ nider lit:

sus bâstu, Werlt, verlorn din strit.

Eine weitere Abteilung endlich unserer so umfangreichen Gruppe von Liebesgedichten beschäftigt sich mit der Frage über Wert oder Art der Liebe. Als ältestes ist hier wohl ein kleines Gedicht aus dem 13. oder 14. Jahrhundert zu nennen [1], welches, wenn auch nicht in der vollkommenen Form des Streitgedichtes, die Frage, ob Männer oder Frauen innigere Liebe zu empfinden vermöchten, zu Gunsten der ersteren beantwortet. — Die reichste Quelle von Beispielen für diese Art Gedichte fliesst uns aus dem Liederbuch der Klara Hätzlerin. So schildert uns eines derselben den Streit zweier Frauen, deren eine die Freuden der Liebe preist, während die andere die von ihr verursachten Leiden beklagt. Es ist überschrieben: „Ain

---

[1] Graff, Diutiska, Stuttgart und Tübingen 1826. I. Bd. S. 313.

krieg von zwain frawen, ob pesser sey, lieb ze haben oder on lieb ze bleiben" [1]) und beginnt wieder mit der typischen Einleitung. Der Dichter findet auf einem Spaziergange an einem klaren Brunnen eine schöne Frau mit Waschen beschäftigt; eine andere kommt hinzu, und um sich die Zeit zu verkürzen, werfen sie die genannte Frage auf und erörtern sie, so gut sie können, mit möglichst vielen Gründen dafür und dawider, bis endlich diejenige, welche liebes pflag, vorschlägt mit dem Kriegen aufzuhören, da sie sich ja doch nicht zu einigen vermöchten; sie aber bleibt sicher ihrer Gesinnung treu, indem sie bekennt:

Mein lieb ist mein höchste krey
bis an mein end staetticlich!

Ganz dasselbe Gedicht ist auch noch in einer niederdeutschen Fassung vom Jahre 1431 vorhanden [2]), die, obwohl älter als jene der Hätzlerin, doch allen Anzeichen nach [3]) nur die Übersetzung einer hochdeutschen Vorlage ist; allerdings muss diese noch eine andere gewesen sein, als die Quelle der Augsburger Nonne, da sich im einzelnen, namentlich auch im Versbau viele kleine Abweichungen finden. An einer Stelle ist übrigens die niederdeutsche Fassung auch vollständiger, indem sie hinter v. 35 der Hätzlerin eine längere Rede der liebes gerenden bringt, die man in der hochdeutschen empfindlich vermisst, und deren Wegbleiben wohl nur Schuld der Abschreiberin ist.

Ungefähr dasselbe Thema behandelt ein anderes Gedicht derselben Sammlung, welches folgende prosaische Überschrift oder Einleitung hat: „Zwů Junckfrawen kamen ze samen, Aine trůg rott an vnd was frölich mit singen von lieb vnd triu, die ander trůg graw an vnd wand trauriclich ir hennd von lieb, vnd fraget ye aine die andern, was sy übet. Die rot sprach" [4]): Sie erzählt nun ihrer Freundin, welche hohe Lust ihr die Liebe eines minniglichen Knaben bereite und fordert sie auf, ihr auch

---

[1]) Liederbuch S. 143, Nr. 9.
[2]) Eschenburg, Denkmäler altdeutscher Dichtung. S. 257 ff.
[3]) Es ist sogar im Reime eine Reihe hochdeutscher Schreibungen beibehalten worden z. B. v. 81/2 vorgut: gemud, v. 101/2 gute: gemute, 157/8 mich: vnvrüntlich, 177/8 mud: gud, 185/6, ensach: sprach. u. a. m.
[4]) Liederb. S. 88, Nr. 119.

ihre Gesinnung kund zu thun. Das geschieht, und sie entwirft nun ein sehr lebensvolles Bild von all den Qualen, denen sie durch ihre ja auch treu gemeinte Liebe preis gegeben sei. Die andere sucht sie zu widerlegen, indem sie eine ganze Reihe von Beispielen für die Lust und Herrlichkeit der Minne anführt, und schliesst mit dem Vorsatze, immer freudig, wenn auch mitunter auf Kosten der Klugheit, die Liebe recht aus dem Vollen geniessen zu wollen. Mit den Worten: „Nu rat, welche recht hab" lässt der Verfasser die Wahl, welcher von den Sprecherinnen man nachahmen oder wenigstens seinen Beifall schenken will.

„Von der frawen alenfantz ain rede" [1] ist der Titel eines anderen Gedichtes, welches die treue, wahre und die ungetreue, falsche Liebe einander gegenüberstellt. Auf einem diesmal recht abenteuerreichen Spaziergange gerät der Dichter in ein Haus, wo es ihm gelingt einen Streit zweier zarten Frauen zu belauschen. Die erste rühmt sich ihres Geliebten, der nur ihr mit stäter Treue anhange, wie auch sie ihm, bekommt aber darauf von der andern den Einwurf zu hören, dass sie sich ja dadurch nur Ungemach schaffe; Minne ohne klingenden Lohn sei nichts wert; darum müsse man den Geliebten mit Eifersucht quälen und ihm Untreue vorwerfen, dann werde er schon genug Spenden für Freude und Saitenspiel gewähren. Jene aber will von solchem Gebahren nichts wissen, Untreue will sie immer meiden. Nochmals setzt die andere alle Vorteile ihrer Anschauung bis ins einzelne auseinander und giebt Belege für die Richtigkeit derselben aus ihrem eigenen Leben. Da aber kann sich die ‚statt und triuwe' nicht länger mässigen, mit herben Worten predigt sie ihrer Gegnerin Moral und wünscht ihr für ihre niedrige und boshafte Gesinnung alles Herzeleid. Nach kurzer Erwiderung und abermaliger derber Abfertigung muss endlich die Falsche voll Unmut den Rückzug antreten. Nun tritt der Dichter wieder hervor; hätte er der Bösen langes Haar in der Hand gehabt, so wäre sie harter Strafe nicht entronnen. So aber muss er sich eiligst davonschleichen und sich begnügen das Erlebte seinen Gesellen als Beispiel für schlimmer

---

[1] Liederb. S. 230, Nr. 56.

Frauen Schalkheit und für die Stâtigkeit der frommen mitzuteilen.

Sicherlich im Anschluss an dieses Gedicht hat dann Hans
Folz das seinige, „von zweyer frawen krieg" oder auch „die
frech und die still" genannt[1]), geschrieben, welches mit wenigen
Abweichungen dieselben Züge aufweist, nur alles noch etwas
vergröbert. Den Schluss bildet die Lehre, dass man sich an
der Frechen ein abschreckendes Beispiel nehme und lieber der
Stillen ähnlich zu werden trachte.

Von der ‚frawen truwe' in Liebessachen handelt dann auch
ein Fragment[2]), in welchem innerhalb des Rahmens einer
grösseren allegorischen Erzählung eine Frau während eines
Wortstreites die State und überhaupt die Vorzüglichkeit ihres
Geschlechtes gegen einen Ritter, der sich einige Zweifel daran
erlaubt hatte, so eifrig und zungengewandt vertritt, dass jener
sich für besiegt erklärt und sich als Gefangenen fortführen
lassen muss.

Als dagegen Meister Suchensinn (nachgewiesen 1392) bei
einem ähnlichen Vorwurf[3]) gegen die Frauen von einer derselben angegriffen und aufgefordert wird, doch auch die Unbe-
ständigkeit der Männer nicht zu vergessen, bleibt er bei seiner
Ansicht bestehen, giebt aber auch die Berechtigung jenes Ein-
wurfes zu.

Ein mittelrheinisches Gedicht, wahrscheinlich vom Jahre
1325, welches zwar nicht gedruckt, aber doch inhaltlich bekannt
ist[4]), schildert sodann in einem Streite zwischen zwei Frauen
den Wert der Minne im Verhältnis zur Gesellschaft; der Dichter
wagt weder der einen noch der andern den Vorrang zuzuer-
kennen und kann auch auf seinen weiteren Fahrten von nie-
mandem ein einheitliches Urteil hören. Darum wendet er sich
schliesslich an seine Zuhörer und Leser mit der Bitte, ihm ihre
Ansicht und ihren Rat mitzuteilen.

Am Schlusse unserer Gruppe wollen wir nun noch eines

---

[1]) H. Kurz, Gesch. d. deutschen Litteratur, Leipzig 1887. Bd. I, S. 688.
vgl. auch Keller, Fastnachtsspiele S. 1209.

[2]) Keller, Erzählungen a. altd. Hs. S. 634.

[3]) Bartsch, Kolm. Hs. Nr. 178, S. 574.

[4]) Zeitschr. f. d. Altert. XIII, 364 Nr. 19.

ziemlich verwickelten Gedichtes gedenken, genannt: „Von ainer stätten und von ainer fürwitzen" [1]). Es ist ebenfalls wieder in den bekannten novellistisch-allegorischen Rahmen gefasst und erzählt, wie der Dichter vor einem Frauengemache den Wortwechsel zwischen einer stäten und einer wankelmütigen Frau anhört. Erstere tadelt die andere, dass sie ihrem Geliebten nicht treu bleibe, sondern bald zu dem einen, bald zu dem anderen flattere, wogegen diese sich durch allerhand Ausflüchte zu verteidigen sucht. Lange tobt der immer leidenschaftlicher sich gestaltende Streit, bis ihn die Gute, an der Bekehrung der Gegnerin verzweifelnd, kurzer Hand abbrechen will. Beim Hinausgehen jedoch erblickt sie den Dichter vor der Thür und führt ihn hinein. Voll Staunen fragen beide, was er hier suche, und nach einer gleichgiltigen Antwort fordert ihn die Fürwitzige auf, sich zu entscheiden, welcher von ihnen er als Diener angehören wolle. — Es geht ihm also ganz ähnlich, wie in den Horen dem Herakles am Scheidewege. — Mit seiner Ausflucht, er wolle beiden dienen, sind sie natürlich nicht zufrieden, und die Gute empfiehlt nun um den Mann zu würfeln — übrigens ein etwas eigenartiger Vorschlag für die personifizierte Stätigkeit —. Dies geschieht und zu ihrer und des Dichters Freude gewinnt die Treue. Gleich beginnt sie nun eine Menge guter Lehren zu erteilen, was jedoch den bissigen Spott der andern hervorruft; allein die Gute weist sie schroff zurück und belehrt ruhig ihren Dichter weiter, der sich ihr denn auch feierlich weiht, worauf die Böse schweigen muss. Zuletzt berichtet der Verfasser, wie er nie eine Frau gefunden, die ihm besser gefallen habe als jene, welche ihn damals gewonnen. — Innerhalb der novellistischen Einfassung ist also in unserem Gedicht ein dreifacher Streit zum Ausdruck gekommen: Erst das Wortgefecht der Frauen über die Art ihrer Liebe, dann der Würfelkampf um den Dichter und endlich ein nochmaliger Wortkampf.

In einer zweiten Hauptgruppe unserer Streitgedichte wollen wir nun diejenigen zusammenfassen, welche eine vorwiegend geistliche und ethische Tendenz zeigen.

---

[1]) Liederb. d. Kl. Hätzlerin. S. 138, Nr. 8.

An erster Stelle sind hier die Kämpfe zwischen Leib und
Seele zu erwähnen, die aber bis auf zwei Ausnahmen nichts
Anderes als mehr oder minder geschickte Übersetzungen jenes
Dialogus inter corpus et animam sind, den wir oben besprochen.
Es sind uns eine ganze Anzahl deutscher Fassungen, sowie eine
mittelniederländische bekannt. Letztere [1]) und die niederdeutsche [2]), übrigens beide von einander unabhängig, bemühen
sich sogar in der Form, in vierzeiligen, gleichgereimten Strophen,
das Original nachzuahmen, ohne dass sich jedoch der niederdeutsche Bearbeiter dabei konsequent bliebe. Diese beiden Übersetzungen sowie auch eine niederrheinische [3]) schliessen sich an
den Text an, wie ihn die Handschriften Wrigths und Karajans
boten, während drei hochdeutsche Bearbeitungen [4]) die um das
lehrhafte Schlussstück erweiterte Form aufweisen, welche uns
aus Du Mérils Druck bekannt ist. Eine vierte hochdeutsche
Fassung [5]) endlich enthält noch einen andern Schluss, ein Gebet
um Fürbitte an die Jungfrau Maria. Doch werden wir wohl
kaum fehlgehen, wenn wir auch hierfür ein lateinisches Muster
annehmen; war es doch nicht die Art deutscher Dichter oder
Übersetzer aus eigenen Mitteln solch beträchtliche Zusätze zu
machen, besonders wenn das Übrige so getreu, wie hier, wiedergegeben ist. Bei der grossen Beliebtheit und Verbreitung des
lateinischen Gedichtes ist es auch gar nicht unwahrscheinlich,
dass damals schon mehrere Fassungen existiert haben, die sich
allmählich durch Änderungen der geistlichen Abschreiber je nach
ihrer Willkür oder Gemütsstimmung ergeben mochten.

Die eine der beiden oben angedeuteten Ausnahmen endlich
hat mit dem lateinischen Original gar nichts zu thun; dagegen
findet der Herausgeber [6]) einige, wenn auch geringe Ähnlichkeit
mit einem angelsächsischen Bruchstücke darin. Der Inhalt ist

---

[1]) Hgg. v. Th. Bl(ommaert) mit d. „Theophilus". S. 57. „Van der
zielen ende van den lichame". Gent 1836.

[2]) Jahrb. d. Ver. f. ndd. Sprachforschg. V. S. 21 ff. Dort sind auch
weitere Hs. und Drucke verzeichnet.

[3]) Germania III. S. 396 v. Rieger.

[4]) Altdeutsche Blätter I, 114. Bartsch, Erlösung, Quedlinbg. u. Leipz.
1858. S. 311. Karajan, Frühlingsgabe: Visio Philib. B. S. 98.

[5]) Karajan l. c. Visio Phil. C. S. 123.

[6]) Rieger in Germ. III. S. 405.

etwa folgender: Die Seele dankt dem Leibe für den angenehmen
Aufenthalt, den sie in ihm gefunden und freut sich auf die
ewige Seligkeit, die auch er einst mit ihr teilen werde. Jener
antwortet, er fürchte durchaus nicht den Tod, denn „caro mea
requiescit in spe" ist seine Losung nach Davids Vorbild. Ge-
duldig werde er schlummern, bis ihn die Posaune erwecke, um
ihn wieder mit seiner zarten Freundin, der Seele, zu vereinigen.
Da diese wohl im Reiche des Jenseits, das er sich als einen
reichen, glänzenden Fürstenhof, wo Gott König ist, vorstellt,
besser Bescheid wissen werde, als er, so bittet er sie, ihn zu
unterweisen, wie er sich dort zu benehmen habe. — Wie man
sieht, ist hier das Moment des feindlichen Gegensatzes oder
der Frage nach der höheren Bedeutung des einen oder der
anderen gänzlich geschwunden; es handelt sich nur noch um
ein freundliches Gespräch zwischen den beiden. — Die andere,
auch völlig abweichende Fassung ist erst vor Kurzem bekannt
geworden [1]). Zunächst ist die Situation ganz neu; der Mensch
lebt noch und die Seele sucht den weltfreudigen Leib zu einem
gottwohlgefälligen Leben zu bewegen, was ihr trotz anfänglicher
Weigerung und mancher Widersprüche desselben auch schliesslich
gelingt. Den Schluss bildet eine nochmalige fromme Ermahnung
der Seele. — Der sonst unbekannte Dichter nennt sich selbst
Hentz von den Eichen (v. 183) und ist seiner Mundart nach
wohl ein Schweizer.

Von den übrigen geistlichen Streitgedichten sind die ältesten
mehrere Bearbeitungen eines Themas, des Kampfes von
Barmherzigkeit, Friede, Gerechtigkeit und Wahrheit
um das Heil des Menschen. Die beiden erstgenannten Töchter
Gottes suchen ihren Vater zu gnädiger Nachsicht mit der
sündigen Menschheit zu bewegen, die beiden andern wollen ihn
seinem verdienten Schicksale anheimfallen lassen. Den Streit
schlichtet zuletzt ihr Bruder, Christus, der hier als Weisheit
eingeführt wird, zu Gunsten des Menschen. Die früheste
Fassung findet sich in dem österreichischen Anegenge (nach
1173) [2]), eine zweite in der hessischen „Erlösung" aus der

---

[1]) Mitgeteilt von R. Priebsch in der Zeitschr. f. deutsche Philol. 29, 87 fgg.
nach einer Hs. des British-museum vom Jahre 1518.

[2]) Hahn, Gedichte d. XII. u. XIII. Jhrdt. S. 28 ff. (Quedlinbg. u. Lpzg. 1840).

Mitte des 13. Jahrhunderts, (ed. Bartsch v. 505 ff.) eine dritte, noch etwas später in einem thüringischen Gedichte mit dem Anfang: Sich hůb vor gotes trône ein gesprêche schône: . . .[1])

Endlich scheint noch Heinrich von Mügeln und ein unbekannter diesen Stoff zu je einem Meisterliede verwendet zu haben, wie aus Mitteilungen von Bartsch[2]) und Zingerle[3]) hervorgeht.

Als ein recht ausführliches und charakteristisches Denkmal dieser Gruppe ist sodann noch ein Werk des Heinzelein von Konstanz zu nennen: „Von den zwein sanct Johansen"[4]). Der Dichter kleidet seinen überaus frommen Stoff — es handelt sich um die Frage, ob Johannes der Täufer oder Johannes der Evangelist im Besitz der grösseren Würde und Heiligkeit sei — in eine Variation der Vagantenstrophe; er verwendet sechszeilige Strophen mit der Reimform ababab, die a Zeilen zu vier, die b Zeilen zu drei Hebungen; das ganze besteht aus 83 Strophen. Nach einer unpoetischen, oft geschmacklosen Vorrede, einer Art invocatio und der Versicherung, dass seine Geschichte nicht etwa von ,nihte erdâht', sondern ,eben ûz der schrift gelesen' ist, beginnt er das eigentliche Gedicht mit einer neun Strophen langen Einleitung: In einem Kloster lebte eine grosse Zahl trefflicher Nonnen in Gott wohlgefälligem Wandel, bis auf zwei, welche im Übermasse der Frömmigkeit und ihrer Begeisterung für einen Heiligen in argen Zwist gerieten; denn:

> Str. 14. Die eine hôrt man prüeven sant
> Jôhanesen Baptisten,
> der gotes tonfer ist genant,
> die ander'n Êwangelisten.
> sie ougeten swaz in was erkant
> und swaz sie guotes wisten.

---

[1]) In Bartschs Erlösung S. IX fgg. — Üb. d. lat. Quelle u. weitere Litt. hierüber vgl. MSD[3] II, 258 Anm. u. Weinhold, Weihnachtsspiele S. 295 ff.

[2]) Bartsch, Meisterlieder d. Kolm. Hs. S. 104 Nr. 65. S. 77 Nr. 826.

[3]) Sitzungsberichte d. Kaiserl. Akad. d. Wisssensch. phil.-histor. Klasse Bd. 37, S. 338 (Wien 1861).

[4]) ed. Pfeiffer. S. 113 ff. — Ueber die wahrscheinliche Quelle des Gedichtes, einen lateinischen Bericht des Caesarius von Heisterbach, sowie über andere Versionen dieses Streites handelt R. Köhler, Germania 24, 385 fgg.

Dieser Streit dauert sehr lange, bis er einst auf ganz wunderbare Weise beigelegt wird. Es erscheinen nämlich genau zu derselben Zeit der Evangelist und der Täufer ein jeder seiner Kämpferin; jeder tadelt die seinige ob ihrer einseitigen Begeisterung für ihn, hebt dabei mit grösster Selbstlosigkeit die Vorzüge seines Namensgenossen hervor und schliesst mit einer eindringlichen Ermahnung zur Friedfertigkeit und Einigkeit mit der Gegnerin (19—64). Den Schluss bildet die Erzählung von der Versöhnung der feindlichen Nonnen und ein Lob Gottes ‚umb sin getihte‘ mit grossem Aufwande von schönen Worten und trockener Gelehrsamkeit.

Wie in der vorigen Gruppe öfter die Frage erörtert wurde, welcher Stand für die Minne am geeignetsten sei, so geschieht dies hier, welcher in geistlicher Hinsicht die höhere Würde verdiene. So lässt Meister Suchensinn[1]) eine Frau und einen Priester einen Streit um ihren Vorrang ausfechten, der auch hier wieder von jener bekannten Beschreibung der Situation — der Dichter beobachtet ihn bei einem Spaziergange auf einem Anger — eingeleitet wird. Die Frau rühmt sich als ‚ursprinc christenlîches gelouben‘, während sich der Priester auf sein Amt als Spender der Sakramente beruft. Seine Gegnerin führt aus, dass ein Weib Gottes Sohn selbst unter dem Herzen getragen habe, wogegen er nur die Symbole für Leib und Blut des Herrn in die Hand bekomme. Im übrigen könnte es ja ohne Frauen überhaupt keine Priester geben, da doch alle von einer Mutter geboren würden. Am Ende schlichtet der Dichter den Streit, und trotz einer Lücke in der Überlieferung ist doch klar, dass er der Frau den Sieg zuerkennt; denn v. 62:

> ê himel und erde was getiht,
> wîp was bi gotes angesiht.

Vielleicht behandelt Rosenplüts Gedicht: „Von dem priester und der frawen das fruchtpar lobe“[2]) denselben Stoff, während mir Stephan Vohpurks Streit zwischen einem Wolfe und

---

[1]) Meisterlieder aus d. Kolmarer Handschrift ed. K. Bartsch. (Stuttg. Litt. Ver. 68.) S. 562, Nr. 171. Nach einer anderen Hs. in Fichards Frankfurtischem Archiv III (1815). S. 225.

[2]) Angezeigt b. Keller, Fastnachtspiele S. 1328.

einem Pfaffen, welcher der bessere sei[1]), eher wie eine Parodie
auf die ganze Gattung erscheinen möchte.

In ganz ähnlicher Weise, vornehmlich auf geistliche Beweisgründe gestützt, macht der Stand der Frauen dem der
Jungfrauen die Ehre des Vorzuges streitig. In einem dieser
Gedichte[2]) sieht und hört der Verfasser unter denselben Um-
ständen wie eben Suchensinn ein reines Weib und eine anser-
wählte Jungfrau solch einen Streit ausfechten. Jede will ihren
Stand über den ihrer Gegnerin erheben und verwendet vieles
Geschick auf die Behauptung ihres Satzes. Zuletzt beruft sich
die Jungfrau darauf, dass Gott eine der ihrigen zur Mutter
des Heilandes erkoren habe, während die Frau darlegt, dass der
Herr selbst eben jene „Weib" nannte. Als dann dem Dichter
auf seine Bitte das Richteramt übertragen wird, fällt er mit
weiser Mässigung das vorsichtige Urteil:

Das wib und jungfer wol gemut

Got und der welt sanfte tut,

d. h. also, dass die eine ebensoviel wert ist als die andere.

Ganz ähnlich wird wohl auch Muskatblut in seinen
Strophen von ‚frawen vnd junckfrawen'[3]) dieses Thema behandelt haben, während es Suchensinn etwas anders wendet.[4])
Eine Jungfrau beschwert sich ihm gegenüber, dass er nur immer
die Frauen preise, ihren Stand aber nicht genügend achte; in
seiner Verteidigung aber weiss er seine schöne Gegnerin doch
dahin zu bringen, dass auch sie Frauenehre und -würde neben
der der Jungfrauen anerkennt.

Den Übergang von den geistlichen Streitgedichten zu
denen ethischen Inhalts mögen ausser den eben genannten
noch zwei Kriege des Lebens mit dem Tode[5]) vermitteln, in
denen beide auf den Besitz der grösseren Macht Anspruch erheben. Diese Streitgespräche sind die einfachste Ausführung

---

[1]) ebda. S. 1375 aus cgm. 714. Nur drei Zeilen sind mitgeteilt.

[2]) Lassberg, Lieders. II. S. 343 Nr. 131.

[3]) Vgl. Bartsch, Kolm. Hs. S. 118 Nr. 144 u. Zingerle l. c. S. 357.

[4]) Bartsch, Kolm. Hs. S. 571 Nr. 176.

[5]) Ein hochd. in Eschenburgs Denkmälern S. 426 u. etwas davon
verschieden ein mnd. bei W. Seelmann, mnd. Fastnachtspiele, Norden u. Leipzig 1885. S. 45.

desselben Themas, welches in ausführlicher Prosa auch das Gespräch des Ackermanns von Böhmen mit dem Tode [1]), sowie die beliebten und weit verbreiteten Totentänze behandeln.

Von den moralischen Gedichten sei das umfänglichste hier vorangestellt, weil es nach Form und Anlage sich eng an die bisher betrachteten erotischen und geistlichen anschliesst. Es stellt in der bekannten, novellistischen Einkleidung den Kampf zwischen Ehre und Schande [2]) dar. Als einst abends ein geiziger Ritter einen Gast auf seine Burg zukommen sieht und er im Innern schon die Kosten beklagt, welche dieser ihm wieder verursachen wird, erscheinen plötzlich vor ihm die Schande, „diu was gestalt als ein tufel so ze reht“, und Frau Ehre, prächtig gekleidet, die beide den Ritter für ihre Lehren zu gewinnen suchen. In seiner Unschlüssigkeit hilft sich dieser mit folgendem Auskunftsmittel:

> Nu wil ich iu ze sament lan
> Und wil vil recht verstan,
> Weli die ander übersag
> Und sie ze recht vertrag,
> diu sol och von mir sin verjagt;
> was mir diu ander denne sagt,
> des volg ich iemer mere.

Darauf hin beginnt nun der Wortstreit, der von den beiden Kämpferinnen in der üblichen Weise ausgefochten wird (v. 195 bis 445). Am Ende wendet sich Frau Ehre wieder an den Ritter, den sie durch ihre ernsten Vorhaltungen auch zur Entscheidung für sie bewegt, und befreit ihn auf seine Bitte noch durch ihr thatkräftiges, handgreifliches Auftreten für immer von der Herrschaft und Macht der Schande. Der Dichter schliesst seine Erzählung mit der Kunde, dass sein Held fortan ein wirklich ehrenhaftes Leben führte und vor allem auch die Pflichten der Gastfreundschaft stets erfüllte, wodurch er in der Folge hohen Ruhm erntete.

Eine Sonderstellung nimmt sodann ein Gedicht ein, in welchem ein Streit nicht wie sonst von zwei personificierten

---

[1]) ed. J. Knieschek, Prag 1877.
[2]) Lassberg, Lieders. I. Nr. 72. „Der ungastliche Ritter.“

Begriffen oder ungenannten, beliebigen Personen ausgefochten, sondern zwei wohlbekannten Helden der höfischen Epik in den Mund gelegt wird, der Wortwechsel des hern Gawan mit Keie über das Leben bei Hofe[1]). Der edle Gawein fragt den geschickten Höfling Keie, wie man sich dort zu benehmen habe. Jener giebt etwas laxe Verhaltungsmassregeln, die den hellen Zorn des andern hervorrufen; er macht ihm auch deutlich genug Luft in seiner Antwort und flucht dem Hofe, wo das Lügen und Losen an der Tagesordnung sei, er will fort zu einem anderen, an dem noch die alte Treue gälte. Doch nur eine spöttische Abfertigung durch Keie ist die Erwiderung auf seine Rede. — Als Verfasser wird in der grossen Heidelberger Liederhandschrift der tugendhafte Schreiber, in der Jenaer der Stolle genannt.

Die meisten übrigen Gedichte ähnlichen Inhalts sind nur kurze, oft recht unbeholfene Sprüche, in denen gewöhnlich der Kampf einer Tugend mit einem Laster dargestellt wird, und zwar ist in der Regel die Tugend der unterliegende Teil. So führt uns Meister Stolle in derselben Form, der sich der Brennenberger in seinem Gedicht von der Liebe und Schöne bediente, den Kampf der Wahrheit gegen die Unwahrheit vor[2]); die erstere muss sich, da ihre Gegnerin den vornehmen Herren viel lieber ist als sie, zu den armen aber tugendhaften Leuten flüchten. — Derselbe Meister schildert uns dann schon in etwas geschickterer Form, wie die triuwe einst auf der Strasse dahin fährt, und die untriuwe ihr entgegenreitet[3]). In dem sich entspinnenden Wortstreite fühlt sich die letztere von vorn herein als Siegerin und benimmt sich demgemäss hart und anmassend, während der Treue die Rolle der duldenden und unterdrückten Unschuld zugewiesen ist.

Dasselbe Thema behandelt etwas ausführlicher und die Geschichte als einen Traum des Verfassers hinstellend ein anderes Gedicht, welches vielleicht dem Frauenlob zugehört, in dessen grünem Tone es geschrieben ist[4]), und in einer ganz ähnlichen Situation wie Stolle die Treue und Untreue führt uns ein un-

---

[1]) Hagen, Minnes. II, 152.
[2]) Hagen, Minnes. III, 10,40.
[3]) Hagen, Minnes. III, 4,8.
[4]) Bartsch, Kolmarer Hs. Nr. 52.

genannter Dichter die Zucht und Unzucht vor [1]). Auch die
beiden Strophen des Meisters Kelin gehören hierher [2]). In der
ersten klagt Frau Ehre über die schlechten Zeiten und die
Missachtung, der sie überall verfallen sei; am liebsten möchte
sie fort von der Erde zu Gottes Thron zurückkehren. Höhnisch
antwortet in der zweiten Strophe die Schande, sie solle sich
nur schleunigst davon machen, denn hier auf Erden könne sie
ja doch nicht länger ihr Dasein fristen. Zuletzt rühmt sie sich
noch frech all ihrer Schandthaten, die sie vollbringt und lehrt.

Ein derartiges Streitgedicht in einem kurzen Spruche,
welches sich aber dadurch auszeichnet, dass in ihm drei Parteien zu Worte kommen, hat uns dann Heinrich von Meissen,
der Frauenlob, hinterlassen [3]). Kurz und bündig beginnt er:
„Drin reht diu hôrte ich kriegen“ und lässt dann die Natur
den Kampf eröffnen; sie behauptet, ihr Recht bestehe noch un-
gebeugt und unverdreht. Darauf rühmt sich der geistlich
orden: sein Recht werde alle Tage mächtiger und einfluss-
reicher, er könne alles nach Belieben erhöhen oder erniedrigen.
Zuletzt spricht die Ehre, und sie bricht in laute Klagen aus,
da ihr Recht überhaupt nicht mehr vorhanden, sondern vernichtet und verjagt ist. Darum will sie zu Gott hinfliehen und
vor ihm von den Schuldigen, besonders den Fürsten, Rechen-
schaft fordern.

In das 14. Jahrhundert gehört dann noch ein allerdings
erst im 15. überliefertes Gedicht über den Streit der Vertreter
zweier Stände um ihren Vorzug [4]). — Ein Ritter und ein
Bauer beginnen einen Wettkampf, wer von ihnen höher zu
schätzen sei. Ersterer rühmt sein edles Geschlecht, der andere
seinen Fleiss; der Ritter meint, weil er Hofzucht und Frauen-
dienst übe, müsse jener ihm unterthan sein; doch der Bauer

---

[1]) Keller, Erzählgn. a. altd. Hs. S. 628.
[2]) Hagen, Minnes. III, 23,3/4.
[3]) ed. Eltmüller S. 195 Nr. 340.
[4]) Uhland, Volkslieder Nr. 133. Böhme, Altdeutsches Liederb. S. 359.
Erk-Böhme, Deutscher Liederhort III, S. 27. Ebd. S. 28 ein ähnlicher Streit
aus dem 16. Jhrhdt. Zwei weitere zwischen Soldat und Bauer, aber erst aus
d. 17., bei Bolte, der Bauer im deutschen Liede, Berlin 1890, = Act. Germ.
I. Nr. 9 u. 32.

widerspricht ihm, da seine Arbeit viel mehr wert sei. Endlich hebt der Ritter noch seine Thätigkeit als Kämpfer für den Glauben im preussischen Osten hervor; aber auch hier kann der Gegner einwenden, dass nur die Früchte seines Erwerbes, sein Gold und Silber die Möglichkeit dazu gewährten, und darum sollte er auch einen Anteil an den gewonnenen Ehren erhalten.

Erst gegen das Ende unserer Periode hin scheint die Lust an ausführlicheren Werken unserer Gattung erwacht zu sein. So schrieb Hans Folz 1474 ein sehr umfängliches Streitgedicht ethischer und zugleich geistlicher Tendenz, den Kargenspiegel [1]), in welchem die Frage erörtert wird, ob der Stand der Armen oder der Reichen höher zu schätzen und dem ewigen Leben näher sei. Am Schlusse erklärt sich der Reiche für überwunden und dankt dem Armen für seine „scharpffe ler". Vielleicht steht das Gedicht im Zusammenhange mit einem deutschen „Dyalogus divitis et pauperis a beato Basilio editus", der meines Wissens noch nicht gedruckt ist [2]).

Vielleicht auch von Folz ist ein Streit zwischen Weisheit und Thorheit [3]), die unter eigenem Lobe und Schelten des Gegners den Menschen zu beeinflussen und auf ihre Seite zu ziehen suchen. Am Ende kommt die weltliche Thorheit doch zu der Erkenntnis, dass die göttliche Weisheit die besseren Lehren erteile, und bittet sie auch ihr zu einem Anteil an den himmlischen Freuden zu verhelfen.

Keller führt dann auch noch ein Gespräch zwischen Redlichkeit und Eigenwillen [4]) an, von dem mir jedoch nichts Näheres bekannt ist.

Endlich gehört hierher noch ein niederdeutsches Gedicht, welches uns zwar nur in einer Aufzeichnung von 1541 erhalten ist, aber sicher aus einer älteren Vorlage abgeschrieben wurde [5]), genannt: Van deme drenker. Ein Knecht, dessen grösste

---

[1]) Keller, Fastnachtspiele S. 1229—42. Vgl. auch S. 1474 Nr. 37.

[2]) Angeführt von Keller, Fastnachtsp. III, S. 1451 Nr. 42 aus einer Weimarer Hs. des 15. Jhrhd.

[3]) Keller, Fastnachtsp. IV, 310.

[4]) ebda. IV, 327 Nr. 16, aus einer Augsburger Hs. d. 15./16. Jhrhd.

[5]) Jahrb. d. Ver. f. ndd. Sprachforschg. VIII. S. 36.

Freude das Zechen und sich Bezechen ist, verteidigt sich und seine Leidenschaft mit Begeisterung gegen seinen Herrn, der ihm, allerdings mit weit geringerer Redegewandtheit und schliesslich auch ohne Erfolg die Nachtheile seines Lasters und den Segen der Mässigkeit klar zu machen sucht. Das Gedicht ist ein originelles, urwüchsiges und doch nicht abstossendes Denkmal, „sehr lebendig und von dem groben altholsteinschen Witze beseelt." (Jellinghaus in Pauls Grundriss II, 1 S. 430.)

Als einer abgeblassten Abart dieser Gruppe sei hier beiläufig noch der bei den jüngeren Minnesingern und älteren Meistern besonders beliebten Gedichte gedacht, die in typischer Weise eine Tugend und ein Laster scharf einander gegenüberstellen, indem sie erst die Vorzüge dieser und dann die Nachteile jenes schildern, ohne jedoch diese Begriffe selbst reden zu lassen [1]).

Neben der grossen Hauptgruppe, die wir soeben betrachtet haben, haben sich unter den Streitgedichten nun noch zwei Abarten entwickelt, und zwar die eine in der Weise, dass, wie dies ähnlich auch in der provenzalisch-französischen Dichtung der Fall war, nur mehr ein Begriff personificiert wird, während die Rolle des Gegners im Streite meist der Dichter selbst übernimmt. In diese Gruppe fallen mehrere Gespräche des Dichters mit der Welt, und zwar ist hier als ältestes Denkmal Walthers bekannter „Abschied von der Welt" zu nennen. (L. 100, 24). Er tritt hier in persönliche Berührung mit Frau Welt, der er bisher gedient hat. Sehr hübsch ist als Lokal ein Wirtshaus gedacht, welches dem Teufel gehört und wo Frau Welt als dessen Verbündete die Menschen, ihre Gäste, an sich zu locken sucht. (Nach Wilmanns). Unmutig kündigt ihnen der Dichter die Freundschaft und verlangt, der Teufel solle ihn aus seinem ‚brieve schaben' d. h. aus seinem Schuldbuch tilgen. Da spricht Frau Welt sanft schmeichelnd:

„Walther, dû zürnest âne nôt:
dû solt bi mir belîben hie.
gedenke waz ich dir êren bôt,

---

[1]) Beispiele: Hagen, Minnes. II, 399,18/19. III, 74,33; 106,4; 165,6 Bartsch, Kolm. Hs. Nr. 111, 124, 125, 132. Frauenlob ed. Ettm. Nr. 62. Auch Ldbuch. d. Hätzlerin S. 283. v. 61—112 (in novellist. Einkleidung).

waz ich dir dines willen lîe,
als dû mich dicke sêre bæte.
mir was vil inneclîche leit daz dû daz ie sô selten tæte.
bedenke dich: din leben ist guot:
sô dû mir rehte widersagest,
sô wirst dû niemer wol gemuot."

Doch unentwegt bleibt der Versuchte und antwortet, fürs erste sehe sie ja wunderschön aus und scheine einem viel Gutes zu bieten; bei genauerem Zusehen aber gewahre man bald, wie hässlich und bösartig sie sei; daher wolle er sie fortan nur immer schelten. Ein letztes Mal versucht sie noch, ihn zu berücken und bittet ihn, nur manchmal der schönen Zeiten zu gedenken, die er mit und bei ihr verlebt habe; doch umsonst, er meint, das sei zu gefährlich, da vor ihrer Tücke sich niemand zu schützen vermöge, und er verlässt sie mit endgültigem Abschiedsgrusse.

In ganz ähnlicher Weise behandelt dies Thema auch ein anderes, im Hoftone Konrads von Würzburg geschriebenes Gedicht: „wie der meister der welt urloup git" [1]). Aber die ganze Ausdrucksform erscheint hier viel steifer und gezwungener, während in des echten Dichters Versen immer eine anmutige, liebenswürdige Leichtigkeit hervortritt.

Ebenso scheinen die „funff entlied von der welt" des Meister Heinrich von Mügeln hierher zu gehören, welche, in der Wiltener Handschrift befindlich, von Bartsch [2]) und Zingerle [3]) angezeigt werden.

Auch das Gedicht: „der Tanhauser der gibt eyn ler", welches, allerdings unter Bedenken und auch sicher mit Unrecht, in Kellers Sammlung der Fastnachtspiele [4]) Aufnahme gefunden hat, ist nichts weiter als ein solches Zwiegespräch, in welches einige Motive der alten Tannhäusersage mit verwebt sind.

In etwas breiterer Ausführung hat auch Graf Hugo von

---

[1]) Bartsch, Kolm. Hs. Nr. 118. S. 478.
[2]) Kolm. Hs. S. 104 Nr. 62.
[3]) Sitzungsberichte d. Kaiserl. Ak. d. Wissensch. phil.-hist. Klasse Bd. 37, S. 338. (1861.)
[4]) Bd. IV S. 47 Nr. 124.

Montfort[1]) dieses Thema behandelt, benutzt es aber in erster Linie, um eine lange, wehmütige Schilderung der Verhältnisse seiner Zeit damit zu verbinden.

Ganz ins Geistliche gewendet ist unser Stoff in einem niederdeutschen Gedicht aus der Zeit um 1500, dem Gespräch zwischen der Werlt und einem jongherlingh[2]), das aber doch in manchen Punkten sehr an die beiden hier zuerst genannten erinnert.

Die zweite Abart der Hauptgruppe ist dann die Gattung der sogenannten Wettgedichte, deren Eigentümlichkeit es ist, dass meist eine ganze Anzahl ungenannter, beliebiger Personen der Reihe nach jede einen bestimmten Satz verteidigt; seltener ist es, dass dies nur zwei Personen abwechselnd thun, oder dass der Dichter selbst mehrere Dinge hintereinander verherrlicht. Eines der frühesten dieser Art zeigt auch bereits, wenn schon in grosser Kürze, jenen typischen Eingang. Es ist überschrieben: „Daz sint die niun ritter"[1]) und beginnt:

> Ich kwam da mit fröuden sazen
> ritter ninne sunder pin,
> reiner wibe lop sie mazen:
> da sprach der erste . . . . . .

und nun verkünden sie alle der Reihe nach, dem Beispiele des ersten folgend, in je einer Strophe das Lob ihrer Frauen, ihre Tugenden und Vorzüge. Sicherlich als Gegenstück hierzu verfasst ist das in der Handschrift unmittelbar darauf folgende Gedicht, ‚diz sint die niun frawen‘, in der umgekehrt jede der Frauen die Trefflichkeit ihres Gemahles feiert. Ein anderes, in welchem nur der Dichter spricht, handelt von den fünf Sinnen[2]) und den mannigfachen Genüssen, die der Mensch durch sie haben kann; die Schlussstrophe aber besingt die Herrlichkeit der Gottesminne, die weit über alle irdischen Sinnesfreuden zu stellen ist.

Ein Beispiel für ein Wettlied zwischen zwei fingierten Personen bietet „Zabulons Buch", der sechste Teil des Wart-

---

[1]) ed. Bartsch, Litt. Ver. 143. Tübingen 1879. Nr. 29. S. 163.
[2]) Jahrb. d. Ver. f. ndd. Sprachforschg. XIV, 70.
[3]) Hagen, Minnes. III, 441 ff.
[4]) ebda. III, 468.

burgkrieges [1]), in welchem sich Wolfram von Eschenbach und Klingsor von Ungerland gegenseitig durch Erzählung wunderbarer Geschichten zu überbieten suchen.

Wieder eine kleine Variation in der Form zeigen einige Strophen der Kolmarer Handschrift [2]), in denen fünf Tugenden nach einander verherrlicht werden; die demnot und erbermde lässt der Dichter selbst und zwar zur Gewalt reden, während er wisheit, rehtikeit und kiusche mit seinen eigenen Worten preist.

Eines der ausführlichsten Wettlieder hat Klara Hätzlerin aufgezeichnet [3]): „Von siben den grössten fräden" mit folgendem Inhalt: Bei einem Spaziergange findet der Dichter sieben Männer um ein Feuer sitzend mit Zechen beschäftigt; er gesellt sich zu ihnen und man kommt überein, dass jeder das nennen solle, was ihm die grösste Freude bereite. Das geschieht und der eine preist nun das Essen, der andere das Trinken, der dritte zieht das Minnespiel vor, der vierte und fünfte wählen sich zwei andere menschliche Bedürfnisse, der sechste das Schlafen, der siebente das Baden. Auf die Frage, welchen von den genannten Genüssen der Dichter selbst vorziehe, antwortet er, er möchte keine missen.

Auch die öfter behandelte Geschichte von den zwölf faulen Pfaffenknechten, in der jeder den anderen durch die Erzählung von der Grösse seiner Trägheit zu übertreffen sucht, ist hier zu nennen, da eine Bearbeitung vielleicht noch Hans Rosenplüt angehört [4]).

Am Schlusse dieses Abschnittes von den Kämpfen um den Vorzug sei auch noch auf eine Anzahl ungedruckter und daher von mir nicht benutzter Streitgedichte hingewiesen, welche Goedeke im Grundriss zur Geschichte der deutschen Dichtung verzeichnet hat [5]).

---

[1]) ed. Simrock, Stuttgart 1858, S. 184.
[2]) ed. Bartsch. Nr. 115.
[3]) Liederb. S. 271 Nr. 69. Etwas erweitert bei Keller, Erzählgn. a. altd. Hs. S. 665.
[4]) Wagners Archiv f. d. Gesch. d. deutschen Sprache u. Dichtg. (Wien 1874) I, 436 fgg. Eine Fassung aus d. 16. Jhrh. von Hans Betz ebd. S. 71 ffg.
[5]) 2. Aufl. Bd. I. S. 267/68.

B. Sängerkriege.

Die Grundform der deutschen Sängerkriege ist, wie in den romanischen das joc partit oder jeu-parti, das geteilte spil, ein Ausdruck, der ja genau jenen entspricht. Es handelt sich dabei immer um mehrere Dinge (Stoffe), die „geteilt" werden, d. h. deren poetische Behandlung dem Dichter zugewiesen wird. Einem ein spil teilen heisst zwar einerseits ganz allgemein, jemandem irgend welche Aufgaben stellen, wie z. B. in den Versen des Nibelungenliedes, wo Brünhild von Gunther spricht: (L. 402,²/₃)

wil er min geteiltiu spil alsô bestân,

behabe er die meisterschaft, sô wird ich sin wîp:

und sonst oft; andrerseits aber bedeutet es mit besonders ausgeprägtem Sinne, eben als Kunstausdruck der Dichtung, jemandem Bedingungen, Aufgaben, Alternativen stellen, zwischen denen er zu entscheiden, zu „welu" hat. Der Teilende und der Wählende sind gewöhnlich zwei verschiedene Personen, aber nicht immer, da einer auch sich selbst teilen kann. Die sich ergebenden Teile heissen geteiltiu spil. Das Wählen steht dem andern entweder frei, oder er ist dazu gezwungen. Was jeder gewählt hat, muss er auch nach besten Kräften verteidigen [1]. — Eine besondere Art des geteilten Spieles ist das Wettlob, in dem es sich nicht um den Wert oder Unwert irgend eines beliebigen Dinges handelt, sondern meist um die Würde und den Preis der Fürsten oder Herren der betreffenden Sänger.

Eine entscheidende Rolle spielt sodann in unseren Sängerkriegen die persönliche Invektive, die sich ja leicht aus den Lebensverhältnissen der Dichter erklären lässt. Da sie fast vollständig auf die Gunst und Freigebigkeit vornehmer Herren angewiesen waren, so ergab es sich bei einiger Konkurrenz ganz von selbst, dass ein Nebenbuhler den andern zu verdrängen und unschädlich zu machen suchte, was am leichtesten wohl

---

[1] Dies der Hauptinhalt der Erörterungen, die sich finden in den Anmerkungen zu Iwein ed. Bennecke v. 4630, zu Iwein ed. Bech v. 4873, zu Erek ed. Haupt v. 867. Dort auch Angaben über d. weite Verbreitung der Kunstausdrücke.

durch Angriffe auf dessen Person und Kunst zu erreichen war. Solche Angriffe sind teils aufs engste mit den geteilten Spielen verbunden, teils führten sie geradezu zu litterarischen Fehden, die aber nicht, wie etwa in einer bestimmten Art der romanischen Tenzonen, in einheitlichen Gedichten ihren Ausdruck fanden. Man verfasste vielmehr Schmäh- oder Scheltgedichte, die dann der Betreffende beantworten mochte, falls er Lust hatte, oder man flocht seine polemischen Bemerkungen in andere Werke ein, wie z. B. Wolfram von Eschenbach in seinen Parzival[1]) bei einer Selbstverteidigung eine polemische Stelle gegen Reinmar von Hagenau.

Der Unterschied von der romanischen Dichtung liegt einerseits in der Form; zwar ist in den ausgeführten, späteren Sängerkriegen, bei denen übrigens die Frage nach der Ein- oder Mehrheit der Verfasser noch offen ist, die Strophenform, der Ton, bei den Gegnern gleich, aber es besteht keineswegs die in der romanischen Dichtung streng beachtete Regel, dass der zweite Sprecher die Reime des Vorredners beizubehalten hat. Andrerseits fehlt die Wahl der Richter durch die Streitenden aus dem Kreise der Zuhörer; denn das bestimmte Richterkollegium der „Merker" in den Singerschulen entspricht diesem Brauch doch keineswegs. Indessen ist zu beachten, dass in einigen Gedichten, die wohl an Höfen zur Aufführung gelangten, fürstliche Personen als oberste Schiedsrichter angerufen werden, wie im Wartburgkriege Landgraf Hermann und seine Gemahlin und in einem Sängerkriege der Kolmarer Handschrift[2]) ein ungenaunter „werder fürste". Im Wartburgkriege stehen allerdings unter dem Fürstenpaare noch die drei Kieser, zugleich Sachverständige und Teilnehmer an dem Kampfe, Reinmar, Wolfram und als dritter und höchster Walther. — Eine ähnliche Rolle spielt in dem grossen Streite Frauenlobs mit Regenbogen über frouwe und wîp Rumesland.

Ausgeführte Sängerkriege sind uns nur wenige erhalten; aber Trümmer und Reste, sowie klare Beweise für das Bestehen,

---

[1]) 114,5—116,4. Die nähere Ausführung bei Stosch, Zeitschr. f. d. Altert. 27, 313 fgg.

[2]) ed. Bartsch Nr. 62, S. 362 v. 14 fgg.

für die grosse Beliebtheit und für das hohe Alter dieser Dichtungsart sind noch in beträchtlicher Zahl vorhanden. — Als
ältestes Zeugnis dafür können wir möglicherweise schon jenen
bereits erwähnten Spruch des Spervogel (Minnesangs Frühling
23, 29) in Anspruch nehmen; denn die Anfangszeilen: „Wir
loben alle disen halm, wand er uns truoc" setzt doch eine
bestimmte, wirkliche Situation voraus, und man geht vielleicht
nicht fehl, wenn man annimmt, der Dichter habe sich gerade
dies Thema im Gegensatze zu den Äusserungen eines anderen
ausersehen.

Ganz sicher ist Hartmann von Aue „ein spil teilen"
als Kunstausdruck bekannt. In einem seiner Lieder heisst es:
(Minnes. Fr. 216, 8 ff.)

> Die friunde habent mir ein spil
> geteilet vor, dêst beidenthalp niht wan verlorn:
> doch ich ir einez nemen wil,
> âne guote wal sô wære ez baz verborn.
> si jehent, welle ich minne pflegen,
> sô müeze ich mich ir bewegen:
> doch sô rætet mir der muot ze beiden wegen.

und zwar ist hier schon deutlich der Begriff der Alternative
darin enthalten. Grade bei Hartmann übrigens, der die
französische Dichtung so gut kannte, scheint die Beziehung auf
die Minne in diesem Liede auf ein näheres Verhältnis zu einem
jeu - parti hinzudeuten.

Dass auch Walther von der Vogelweide mit dem Wesen
der geteilten Spiele wohl vertraut ist, beweist die Schlussstrophe
seines prächtigen Liedes von „Frühling und Frauen": L. 46, 24.

> Seht an in [1]) und seht an schoene frouwen,
> wederz ir daz ander überstrîte;
> daz bezzer spil, ob ich daz hân genomen.
> owê der mich dâ welen hieze,
> deich daz eine dur daz ander lieze,
> wie rehte schiere ich danne kür!
> hêr Meie, ir müeset merze sin,
> ê ich min frouwen dâ verlür.

---

[1]) sc. den meien.

Übrigens hat man zwischen Walther und Reinmar von Hagenau eine vollkommene, längere litterarische Fehde herausgefunden, nicht in der Form eines richtigen Sängerkrieges, sondern in der Weise, dass der eine diese oder jene Äusserung des anderen in seinen Gedichten aufgreift, angreift, bespöttelt oder zu übertrumpfen sucht[1]). Etwas später suchte der Marner einen ähnlichen Streit mit Reinmar von Zweter anzufangen, stiess aber mit seinen polternden Angriffen nur auf vornehmes Schweigen. Dagegen übernahm ein Schüler Reinmars, der Meissner, die Verteidigung seines Lehrers, während sich auf des Marners Seite noch ein unbekannter Dichter stellt, den man gewöhnlich Meister Gervelin nennt[2]).

Wie derb aber Walther die Angriffe unwürdiger Gegner abzufertigen wusste, das zeigt die kräftige Strophe gegen hern Wicman, (L. 18, 1) der sich zweifellos vermessen hatte, ihm irgend einen Vorwurf zu machen. Es ist dies zugleich das älteste Beispiel für die Gattung der sogenannten Scheltgedichte, die als Äusserungen des einen Gegners in derartigen aus Rivalität hervorgegangenen Fehden auch einen Zweig unserer Gruppe bilden und in der mittelhochdeutschen Litteratur ausserordentlich häufig anzutreffen sind.

Da nun bei Walther sowohl die Verwendung der persönlichen Invektive als auch die Bekanntschaft mit dem geteilten Spiel nachgewiesen ist, lässt es sich vielleicht rechtfertigen, wenn man auch sein Lied von „Frau Bohne" in diesen Zusammenhang bringen will, worauf schon oben (S. 35) hingedeutet wurde. Aus dem Anfange: (L. 17, 25)

> Waz êren hât frô Bône,
>   daz man sô von ir singen sol?

scheint sich jedenfalls mit Sicherheit zu ergeben, dass ein anderer Sänger ein Loblied auf die Bohne gesungen hat, welches Walther nun widerlegt. Ob wir aber darin nur die gelegentliche Erwiderung auf ein Lied etwa im Stile des Königs vom Odenwalde zu sehen haben oder das Fragment eines förmlichen

---

[1]) Den näheren Verlauf derselben schildert Wilmanns: Leben u. Dichten Walthers v. d. Vogelweide, Bonn 1882, S. 450, Nr. 16.

[2]) Über die Durchführung dieser Fehde im einzelnen vgl. Roethe, Reinmar v. Zweter S. 183—186 u. 248 Anm. 307.

Sängerstreites über den Wert von Bohne und Halm, ähnlich dem späteren Kriege Frauenlobs mit Regenbogen über den Wert der Namen frouwe und wip, müssen wir wohl dahin gestellt lassen; doch scheint mir das letztere weniger sicher zu sein.

Den thatsächlichen Übergang von den Kämpfen um den Vorzug, wie wir sie im vorigen Abschnitt besprachen, zu dem geteilten Spiel, welches von zwei Sängern aus- und aufgeführt wird, vermittelt uns ein pseudowaltherisches Gedicht[1]). Es handelt über drei verschiedene Arten von Leuten: über die gehoveten, die höfisch Gebildeten und Erzogenen, die ungehoveten, die Rohen, Ungebildeten, und die verhoveten, die durch das Hofleben Verdorbenen. Die erste Strophe kündet das Lob der gehoveten, die zweite verwünscht den verhoveten schalk, die dritte behandelt die ungehoveten auch nicht viel besser, und die vierte preist erst wieder die erstgenannten, um dann als böses Beispiel für die ungehoveten den Kain anzuführen. Bisher haben wir also die Abwägung und Gegenüberstellung dreier Dinge, von denen eines unausgesetzt gelobt, die beiden andern, wenn auch nicht in gleichem Masse, getadelt werden. Nun aber, in der fünften Strophe, finden wir das Neue: der Dichter wird von einer andern Person aufgefordert, zwischen den beiden schlechteren Gattungen eine Entscheidung zu treffen:

> Durch got dû sage mir, meister min:
> sich, daz geteilte wese din:
> daz beste kius al under disen beiden. etc.

worauf der Frager von dem andern unmutig zurecht gewiesen wird; der verhovete sei gar nichts wert, der ungehovete aber könne allenfalls noch „tongen hoves zil erwerben".

Nach Wilmann's Erklärung treten hier also zwei Sänger vor dem Publikum auf, ein Meister und ein Jüngerer, die ihre Zuhörer mit Waltherischen Liedern unterhielten und sich durch die angenommene Rolle für berufen erachteten, eigene Gedichte mit unterzuschieben; denn der Gefragte legt sich in v. 89 ausdrücklich den Namen Walther bei.

Ein Gedicht Reinmars von Zweter[2]), in welchem Roethe

---

[1]) Lachmann S. 148—150. Wilmanns S. 419—422.
[2]) ed. Roethe Nr. 175 nebst Anmerkg. und S. 255 der Einleitung.

ein vollständiges geteiltez spil sehen möchte, ist wohl mit mehr Recht nur als ein Bruchstück, als eine Herausforderung zu einem solchen zu betrachten. Es beginnt:

> Vil wiser man, nû hoere mir!

ein dinc daz wol geteilet ist, daz wil ich teilen dir:

Es folgt die Doppelfrage, „ob er lieber früher hätte leben wollen, in der guten, alten Zeit, so dass er jetzt tot wäre, oder ob er das Leben in der verderbten Gegenwart vorziehe", und schliesst: „nû kius alsô, daz ez dich iht geriuwe!" Es ist vielleicht die mündliche, später aufgezeichnete Herausforderung an einen bestimmten, zu gleicher Zeit mit Reinmar irgend wo auftretenden Sänger, was man wohl aus dem Eingange schliessen könnte, oder auch eine allgemein gehaltene. „Die Antwort und streitende Durchführung fehlen", vielleicht weil jener Ruf unbeachtet blieb, vielleicht doch aus mangelhafter Überlieferung. Dass ersteres sehr wohl möglich ist, beweist unter anderem Reinmars eigenes Verhalten gegenüber den rohen Anfeindungen des Marners.

Ein weiteres Zeugnis für die wachsende und dauernde Beliebtheit des geteilten spils als Dichtungsart bieten uns die auch schon erwähnten Gedichte des Königs vom Odenwalde, welche dasselbe als allgemein bekannt und üblich voraus setzen. In seinem Lied vom Stroh teilt er sich selber ein Spiel, wie er selbst sagt: (Germania 23, 193):

> Einer git geteilter vil,
> der ander nimet swelchz er wil
> nû bin ich über ein kumeu
> und hân mir ein geteiltz numen:
> borten clâr von siden,
> die wölt ich lieber miden,
> danne die vom strô,
> machen die linte frô.

Die Gattung des Wettlobes ist vertreten in einigen Strophen des Hermann Damen:

> Stêt ûf, lât mich in kreizes zil,
> ich wil mit lobe fehten
> die Brandenburger fürsten vür;
> wird ich bestanden hie,

sô daz man mich vür komen wil

mit lobe an den gerehten,

sô trit ich vür der künste tür u. s. w.[1]

So preist er seine Brandenburger Fürsten, und mit Schild und Schwert, d. h. mit allen Mitteln der Sangeskunst, will er jeden, der etwas anderes zu behaupten wagt, bestehen. Doch auch für einen andern Herrn, der ihm Gutes erwiesen, vermag er sich ähnlich zu begeistern; laut will er, heisst es in einem andern Liede[2], das Lob des Herzogs von Schleswig künden und es unter den „gernden" bekannt machen, damit diese es weiter in den Landen verbreiten; und:

swer mir diz lop wil ze strite

tuon, der wirt bestanden.

swâ ich wider lop ie streit,

mit disem lobe ich sige vaht.

Die letzten Zeilen besagen übrigens ganz deutlich, dass er schon in die Lage gekommen, solch Wettlob auszufechten und zwar mit siegreichem Ausgange.

Späterhin, in den Schulen der Meistersinger, wurden derartige Wettkämpfe ganz üblich; erschien ein fremder Sänger in einer solchen, so forderte er gewöhnlich, um seine Kunst zu erproben und zu beweisen, einen der heimischen zum Wettsingen über ein Thema, das er stellte oder auch sich stellen liess, heraus und focht dann den Kampf aus. Die Entscheidung, wer der bessere sei, stand dem Richterkollegium der Merker, die selbst Meister waren, zu, und der Sieger erhielt als Preis in der Regel einen Kranz. Auch hier sind uns, wenigstens für die ältere Zeit, keine durchgeführten Singkämpfe erhalten, dagegen wieder eine ganze Anzahl Herausforderungen, die mit verschiedenen Kunstausdrücken bezeichnet werden; der gewöhnliche Name hierfür ist fürwurf, mitunter findet sich auch, besonders wenn der Ton etwas schärfer ist, die Bezeichnung reizung, reizer oder schendung. Die Entgegnung darauf hiess antwurt oder auch, den reizungen entsprechend, strâfliet[3]. Aus der grossen Fülle

[1]) Hagen, Minnes. III, 165,₄.

[2]) Hagen, Minnes. III, 168,₈.

[3]) Vgl. die Litt. über d. Meistergesang in Pauls Grundr. II, 1 S. 381 u. bes. Plate, die Kunstausdrücke d. Meisters., Strassburger Studien III, S.

der hierher gehörigen Denkmäler, an denen namentlich die Kolmarer Handschrift sehr reich ist, seien hier nur einige Proben herausgegriffen.

Als ein ganz leidlicher Dichter zeigt sich noch der Verfasser des 133. Gedichtes der Kolmarer Handschrift, eines fürwurfes, der nach Bartschs Bemerkung keineswegs Reinmar von Brennenburg selbst, sondern ein späterer ist. Wie einst die Ritter zur Tjost, ruft er zum Sangeskriege:

Nu bind ich ûf: ist ieman hie der riten sol
ûf glênten rossen und sim liep ein niuwez sper wil brechen
In swinder just, mit dem so wær mir also wol . . . etc.

Weniger ansprechend ist dagegen die Antwort eines angegriffenen Meisters auf die Herausforderung eines andern wegen ihrer plumpen und geschmacklosen Grobheit[1]); im Anfange mässigt er sich noch, aber in der zweiten Strophe giebt er dem Gegner, damit er künftig besser singe, den Rat:

„schmirb deinen hals mit rindermist: daz ist ain salb, das der
kunst vol gstossen bist.
so wirt dein hals von heller stim erclingen".

und in der dritten straft er ihn mit seiner ganzen Verachtung; er ruft ihm zu: Wenn du meinst, ich habe weiter nichts zu thun als mit dir zu singen, so täuschest du dich. Willst du aber etwas ganz Besonderes leisten und gar König werden, so gehe in der Affen Land; die werden dich schon wählen, und für die bist du auch gerade gut.

Etwas erfreulicher ist dagegen eine andere Forderung[2]), die einigermassen an die erwähnte im Tone des Brennenbergers erinnert. Hier noch mehr wie dort ist der Vergleich mit einem wirklichen, ritterlichen Zweikampfe durchgeführt.

Mit gutem Gesange wehrt sich der Dichter gegen seine Feinde, versetzt ihnen kurze und lange Schläge, springt zurück, wenn ihm einer zu hart zusetzt, aber auch bald wieder vor.

---

188. Doch scheint dieser für die ältere Zeit, aus der noch keine Tabulaturen vorliegen, die Zeugnisse der Meisterliederhandschriften nicht erschöpft zu haben. Ausser der Kolm. Hs. bieten noch die Germ. III, 318 fgg. gedruckten Lieder reiches Material.

[1]) Germania III. S. 318.
[2]) ebda. S. 319.

Mit jedem, der nur wolle, mag er mit Gesange fechten und
wohl drei Gänge wagen; thun doch die mit der zung in meister-
ticht erteilten Schläge weder weh, noch machen sie wund oder
plut. In vier weren ist er gut beschlagen, nämlich in den be-
liebtesten Stoffen zu derartigen Liederkämpfen, die von Gott,
der reinen Maid, der Stellung der Sterne und der Kreatur
(Schöpfung) handeln.

Einige Themata zu geteilten spiln teilt übrigens Bartsch
aus einer Heidelberger Handschrift mit [1]. Das erste lautet:
Weder wöltest dich lyber beyssen mit einem hecht durch ain
hammen oder mit ainem rappen durch ain stryk? Die Antwort
steht gleich dabei: Si primum tunc esses submersus, si secnu-
dum tunc fores suspensus.

Doch ist dieser Stoff so unsinnig, wie nicht minder der der
beiden andern Geteilten, die zudem noch an einer unglaublichen
Schmutzigkeit leiden, dass ich mir nicht vorstellen kann, man
habe solche Dinge einmal womöglich bis in Einzelheiten hinein
erörtert, sondern sie vielmehr für einen allerdings ziemlich miss-
lungenen schlechten Witz eines Dichters oder auch nur Schreibers
halte, der vielleicht andere Meister, die nicht gerade sehr geist-
reich sein mochten, durch Unterschiebung solcher Stoffe verhöhnen und lächerlich machen wollte.

Das älteste, umfänglichste, leider aber auch verworrenste
der uns erhaltenen vollständigen Sängerkriege zwischen zwei
oder mehr ausdrücklich mit Namen genannten Dichtern ist das
Gedicht vom Wartburgkriege [2]. Der erste Teil desselben,
von Simrock und Strack [3] allerdings für spätere Zudichtung
an den Rätselstreit, den wir später betrachten, gehalten, ist
ein echtes geteiltez spil, und zwar von der Gattung des Wettlobes, die schon Hermann Damen pflegte, nur etwas komplicierter,
als es gemeinhin üblich ist. Auf der einen Seite steht der hoch-
berühmte, aber kaum historische Sänger Heinrich von Ofterdingen und verteidigt seine Behauptung, Herzog Leopold von

---

[1] Germania XXIII, 344.
[2] Herausgeg. u. übersetzt v. Simrock, Stuttgart 1858.
[3] Zur Geschichte d. Gedichtes vom Wartburgkriege, Berl. Dissert. 1883.
S. 46 fgg.

Oesterreich sei der edelste und beste Fürst, gegen die andere Partei, welche sich aus Walther von der Vogelweide, Reinmar von Zweter, Wolfram von Eschenbach, Biterolf und dem Hauptsprecher, dem tugendhaften Schriber, zusammengesetzt; dieser, Reinmar und Wolfram preisen den Landgrafen Hermann von Thüringen als den trefflichsten Fürsten, Biterolf aber den Grafen von Henneberg, und Walther, von vornherein in betrüglicher Absicht, den König von Frankreich. Lange wogt der Kampf, in welchem jeder seinen Helden in ein möglichst helles Licht zu setzen bemüht ist, unentschieden hin und her, häufig mit den Waffen körnigster Grobheit und derber Anspielungen geführt, bis schliesslich doch Heinrich, zu früh seines Sieges sicher, von Walther mittels einer schlauen List zu Falle gebracht und schmählich überwunden wird. Dieser nämlich, schon vorher (Str. 7) neben Reinmar und Wolfram von Heinrich zum dritten und obersten Schiedsrichter erkoren und von Biterolf bestätigt, (Str. 8) stellt sich absichtlich, als ob er sich selbst schon als Unterlegenen betrachte und fragt scheinbar ganz harmlos nochmals den Gegner: (Str. 21)

Heinrich von Ofterdingen, sage, wer mac der edel sin,
des tugent vor allen Fürsten kan der sunne gelîche wesen?
worauf jener in Übereinstimmung mit dem schon einmal herangezogenen Gleichnis mit der Sonne (Str. 9) natürlich antwortet:

Von Ôsterrîche der herre min:
Von siner milte wirt noch gesungen und gelesen.

Weiter aber wollte der listige Walther nichts. Hatte er schon vorhin Heinrich durch die Anführung des Königs von Frankreich, den der deutsche Dichter doch unmöglich fürchten konnte, sicher gemacht und so mit zu der verhängnisvollen Richterwahl verleitet, so kommt er jetzt mit seiner wahren Gesinnnng hervor. Seine Frage war sehr verfänglich; denn nach altgermanischer Auffassung ist noch höher als die Sonne der Tag zu schätzen[1]), und mit diesem vergleicht er nun seinen Herrn, den edlen Hermann von Thüringerland:

Der Dürengen herre kan uns tagen,
sô gêt im nâch ein sunnenschîn der edel ûz Ôsterrîch.

---

[1]) Simrock, Ausgabe S. 336, wo sich auch Belegstellen finden.

Nun sollte eigentlich gemäss der vorher getroffenen Bestimmung der Besiegte die Todesstrafe erleiden; aber Heinrich, voll Entrüstung über das falsche Spiel, dessen Opfer er geworden, beruft sich noch auf den berühmtesten aller Sänger, Klingsor von Ungerland, und seinem Wunsche ihn zu seiner Unterstützung herbeizuholen wird auch trotz anfänglichen Widerstrebens der Meister auf Wunsch der Landgräfin Folge gegeben.

Über den Verfasser des Wartburgkrieges sind bereits die verschiedensten Vermutungen geäussert worden, ohne dass man jedoch zu einem gewissen Ergebnisse gelangt wäre [1]); auch über die Zeit der Entstehung ist man sich nicht einig. Die einen setzen das Gedicht in die sechziger Jahre des 13. Jahrhunderts, andere um 1230 [1]).

Das nächste vollständig erhaltene Streitgedicht ist jener berühmte Kampf zwischen Heinrich dem Frauenlobe, Regenbogen und Rumesland über die Frage, ob als Bezeichnung des schönen Geschlechtes der Name wip oder frouwe vorzuziehen sei [2]). Leider ist auch dieses Werk in denkbar schlechtester Überlieferung erhalten. „In keiner Handschrift sind die Strophen geordnet oder auch nur vollständig vorhanden; den Sammlern oder Schreibern kam es eben nicht darauf an, dass das Gesammelte auch einen Sinn habe" [3]). Die uns jetzt gebotene Gestalt beruht lediglich auf der Anordnung des Herausgebers.

Heinrich beginnt den Strauss, indem er den Namen frouwe verherrlicht, und Regenbogen antwortet ihm mit dem Preise der Bezeichnung wîp; beide belegen ihre Behauptungen mit Gründen, so gut sie können, in ruhigem und gemässigtem Tone bis Strophe 154. In 155 aber fällt plötzlich Frauenlob, ohne dass man eine

---

[1]) Die neueste von R. M. Meyer, Anz. f. d. Altert. 21, S. 75 ff. in d. Besprechung von Oldenburgs Diss. Zum Wartburgkriege, der letzten Schrift über d. Gedicht. Weitere Angaben u. Litt. b. Simrock u. Grundr. II, 1 S. 342, 343 Anm. 11—14.

[2]) ed. Ettmüller Str. 150—172. Dieselbe Frage hat übrigens auch schon d. Meissner (Hagen, Ms. III, 105,₁) behandelt, wohl angeregt durch Walther L. 48, 38 ff., wozu auch Wilmanns Anmkg. zu vgl. ist, sowie Walther L. 166, 21 ff.

[3]) Ettmüllers Ausg. S. 319.

besondere Veranlassung dazu erkennt, mit der ausgesuchtesten
Grobheit über seinen Gegner her. „boc âne horn" und „rint mit
esels vüezen" sind gleich die ersten Schmeichelworte, und am
Ende droht er gar mit dem „hellespiez", der des Unglücklichen
Seele harrt. Regenbogens Antwort (156) ist nicht ganz so
masslos, wohl aber für uns etwas dunkel. Mir will es scheinen,
als ob diese beiden Strophen überhaupt nicht hierher gehören,
sondern nur Einschiebsel eines Schreibers oder auch aus ihrem
ursprünglichen Zusammenhange gerissene und unrechtmässig hierher gestellte Teile eines andern Streites sind; denn den unse-
rigen fördern sie nicht im geringsten, Frauenlobs schrankenlose
Grobheit lässt sich gar nicht rechtfertigen, und geradezu wunder-
bar ist es, dass er in Str. 157 ganz ruhig und sachgemäss an
die in 154 stehende Äusserung Regenbogens, Gott habe zu seiner
Mutter nicht wîp sondern mulier gesagt, anknüpft und meint,
er habe ja überhaupt jüdisch gesprochen und die einzig richtige
Übersetzung des fraglichen Wortes sei sicher frouwe. Hier
tritt nun Rumesland mit ins Gefecht und zwar stellt er sich auf
die Seite Regenbogens (158). Den Inhalt der längeren Entgegnung Heinrichs fasst der Schluss von 162 in die wenigen
Worte zusammen:

> wîp sunder ach ein süezer name,
> doch frouwe ie bezzer waere.

Jetzt will Rumesland Frieden stiften zwischen den feindlichen Sängern; beide Namen, frouwe und wîp, seien ja im
Grunde genommen völlig gleichwertig, sie sollten doch ablassen
von dem verderblichen Zwiste, an dem ja niemand als nur der
helle knabe Freude habe (163).

Doch Regenbogen beginnt von neuem (164), indem er den
Gegner mit der Erinnerung kränkt, dass vor ihm auch schon
gar mancher grosse Dichter der Frauen Lob gesungen habe,
und obendrein viel besser als er, wie Walther, Reinmar, Wolfram:

> Si hân mit sange frouwen baz
> gelobt, daz rede ich âne haz.
> dîn lop was laz,
> dô ich ez maz

algegen ir lobe; gekroenet baz

    ir lop dô stuont in, wizze daz!

Das trifft ihn ins Herz, und seine Antwort kennzeichnet ihn recht eigentümlich; er vergisst ganz den Gegenstand des bisherigen Streites und verwendet alle Mittel nur, um seinen Ruhm, sein Verdienst den alten Meistern gegenüber ins rechte Licht zu stellen, und die folgenden Strophen bis 169 sind eigentlich nur ein recht wenig ansprechender Kampf der beiden um den Vorzug, der mit unerträglichem Eigenlobe und groben Beschimpfungen und Verhöhnungen des Gegners ausgefochten wird.

Die drei noch folgenden Strophen enthalten in 170/71 einen ganz unvermittelt sich anschliessenden kleinen Rätselstreit, in 172 den Schluss Rumeslands. Regenbogens Rätsel in 170, eines der beliebten und viel gepflegten geistlich-allegorischen, soll wohl augenblicklich den so gerühmten Scharfsinn Heinrichs erproben. Der Frager schliesst, stolz auf seine eigene Weisheit und die anderer Leute gering achtend:

    ich wæn, daz ieman lebende stât,

    der singen pflege, und mir daz phat

    . . . . . . künne eben ûz gerihten.

Doch Frauenlob giebt mit Geschick und ohne weitere Worte zu machen sofort die durchaus kunstgemässe Lösung.

So hat Ettmüller in seiner Ausgabe die Rollen verteilt: Regenbogen giebt das Rätsel auf, Heinrich löst es. Aber in den Handschriften ist es gerade umgekehrt. Ettmüller rechtfertigt die Änderung damit, dass ja sonst Heinrich der Unterliegende wäre. Allein das kommt meiner Ansicht nach hier gar nicht mehr in Betracht. Die Strophen von 164 an zeigen so wenig Zusammenhang mit dem eigentlichen Thema des Streites, ob Frau oder Weib der bessere Name sei, dass die Vermutung nahe liegt, sie gehören überhaupt nicht mehr dazu, sondern seien Reste eines andern Wettkampfes, der die beiden Sangeshelden einmal in anderer Weise zusammenführte, wie ja thatsächlich auch oft genug ihre Namen mit solchen Dichterkriegen verknüpft sind. Meines Erachtens bildet den Schluss unseres Gedichtes Strophe 163, in der Rumesland den ganzen Streit für thöricht und beide Namen für gleichwertig erklärt, und das Übrige ist davon zu trennen. Ein anderer Ausweg wäre, wenn

man meint, die Kämpfer hâtten sich mit dem wenig zufrieden-
stellenden Bescheide nicht begnügen mögen, auch den ersten
Teil bis 163 für ein Fragment und den Rest für verloren zu
halten. — Jedenfalls glaube ich sodann ohne Bedenken die
Strophen 170/71 von dem Vorhergehenden, an das sie sich so
unvermittelt anschliessen, sondern und als selbständig oder als
Bruchstück eines andern Gedichtes hinstellen zu dürfen; und
da könnte es doch sehr wohl sein, dass auch einmal Heinrich
in einem solchen Rätselstreite unterliegt.

Rumeslands letzte Strophe (172) wird man kaum als wirklichen Abschluss des Ganzen betrachten können; dazu ist sie
mit ihrer Verwerfung der schlechten Sänger viel zu allgemein
gehalten, und der Umstand, dass in den Versen 13—19 die
Plurale ir, iuch u. s. w. gebraucht sind, stützt wohl eher die
Ansicht, dass es sich hier lediglich um ein Straf- und Schelt-
lied gegen die Stümper überhaupt handelt, wie deren die Litteratur ja eine grosse Menge aufzuweisen hat. Denn hätte Rumesland mit den bösen Scheltworten dieser Strophe nur den Be-
siegten im vorhergehenden Kampfe bezeichnen wollen, so hätte
er dies wohl deutlicher und mit Namensnennung gethan, und
vor allem doch nicht dem Sieger durch solch zweideutige Ausdrucksweise die Freude vergällt.

Die Frage nach der Entstehung dieses und der gleich-
artigen Gedichte dürfte mit vollkommener Sicherheit wohl kaum,
oder doch erst nach eingehendsten Untersuchungen über Sprache
und Technik derselben zu beantworten sein[1]). Will man die
Analogie mit den romanischen Tenzonen heranziehen, so ist für
diese zu bemerken[2]), dass sie der Regel nach von mehreren
Dichtern bei persönlichem Zusammensein verfasst wurden, ein
Verfahren, das wohl auch für die Entstehung der deutschen
Sängerkriege als das nächstliegende in Betracht zu ziehen sein
dürfte. Nur selten wurden sie improvisiert und ganz vereinzelt
von einem einzigen Dichter oder nach schriftlicher, gegenseitiger
Übersendung der einzelnen Strophen hergestellt. Zweifelhaft
erscheint es mir jedenfalls, dass Frauenlob selbst, wie Ettmüller

---

[1]) Einige Vermutungen in Ettmüllers Ausgabe Heinrichs S. XXVII.
[2]) Vgl. darüber Zenker S. 50, 54, 70, 88.

will, der Verfasser unseres eben besprochenen Gedichtes sein soll; denn einem so stolzen, von sich und von der Überzeugung seiner Unübertrefflichkeit so ganz eingenommenen Manne möchte ich nicht eine so gröbliche Verhöhnung und so schmähliche Erniedrigung seiner selbst zutrauen, wie wir sie hier finden. Ich glaube vielmehr, dass irgend ein Unbeteiligter diesen Kampf aufgezeichnet hat, sei es nun nach einem wirklichen Wettgesange der beiden, was mir das Wahrscheinlichere zu sein dünkt, sei es kraft seiner poetischen Erfindungsgabe.

Ausser diesem grossen Streitgedichte finden wir noch einige kleinere mit Frauenlobs Namen verknüpft. Das eine, in der Jenaer Handschrift befindliche, nennt Ettmüller „Trümmer eines Singerstreites" [1]); es giebt jedoch für sich allein betrachtet keinen rechten Sinn; man muss vielmehr noch die Überlieferung der Kolmarer Handschrift heranziehen, die als Rätselstreit zwischen Heinrich und Regenbogen einige Strophen mehr bietet [2]). Zusammen mit denen der Jenaer Handschrift lassen sie sich wohl folgendermassen zu einem Ganzen ordnen: Ettm. 265 bildet den Anfang, welcher als „vürwurf" mittels der alten Formel „hie wirt geteilet, ir sult welu" unter übermässigem Selbstlobe Frauenlobs Herausforderung enthält. Dann folgen die drei ersten Strophen der Kolmarer Handschrift; in der ersten giebt Heinrich, gleich an die Allgemeinheit, frouwen unde man, nicht bloss an seinen eigentlichen Gegner sich wendend, sein Rätsel — wieder ein geistlich-allegorisches — auf, in der zweiten versucht Regenbogen eine Lösung, aber ohne Glück, und der Frager selbst verkündet die richtige in der dritten Strophe. Daran schliesst sich dann nicht ungeschickt die vierte, mit Ettm. 266 übereinstimmende, die sich in Bezeugung bewundernder Ehrfurcht vor dem jugendlichen Dichter und vor seiner hohen Gelehrsamkeit erschöpft; denn so, und nicht ironisch strafend, wie Ettmüller will [3]), möchte ich diese Strophe fasssen. — Bartsch hält den Streit trotz einiger auffallender Reime für echt, und der ganze Inhalt, eine Verherrlichung Heinrichs, scheint dem auch nicht zu widersprechen.

---

[1]) Str. 265/66 S. 152.
[2]) ed. Bartsch, Nr. 53 S. 333.
[3]) Ausgabe Heinrichs S. XXIII.

Ein anderes kleines Gedicht stellt Ettmüller unter die Überschrift: Geschaffen oder ungeschaffen?[1] Frauenlob for-
muliert hier am Schlusse der ersten Strophe den Satz, welchen
er verteidigt, so:

> Got ist ein ungeschaffen wesen,
> der tiuvel niht.

während sein Gegner, der Regenbogen, in durchaus mässigem
Tone behauptet: „got der ist wol geschaffen". Heinrich bleibt
natürlich auch in der Antwort bei seiner ersten Meinung und
wendet sich schliesslich an die Allgemeinheit mit der Bitte um
Entscheidung:

> die kristen glouben wellen hân,
> die sprechen, ob ich wâr hab oder liuge.

Dieses Werkchen ist wohl entgegen Ettmüllers Auffassung
doch als vollendetes Streitgedicht, nicht als Bruchstück zu betrachten. Denn seine Pointe liegt ja in der Doppelbedeutung,
welche das Wort ungeschaffen in sich schliesst. Regenbogen
nimmt es im übertragenen Sinne als hässlich, Frauenlob aber
in dem eigentlichen als unerschaffen, wie er in der Schlussstrophe ausdrücklich erklärt und so den Doppelsinn aufdeckt.

Aus dem Anfange des 14. Jahrhunderts haben wir sodann
noch einen umfänglichen Streit, der wiederum Frauenlobs und
Regenbogens Namen trägt, den kriec von Wirzburc[2].
Der Verfasser ist nach des Herausgebers Ansicht ein Würz-
burger, der sehr eifrig die Ausdrucksweise seiner Helden nach-
ahmt, sodass sich einige fast wörtliche Übereinstimmungen mit
Gedichten des Frauenlob und Regenbogen finden, auf die Bartsch
in den Anmerkungen hingewiesen hat. — Die einleitenden
Strophen enthalten Heinrichs Herausforderung und ihre Annahme
durch Regenbogen, wobei dieser ausdrücklich betont:

> Nû sin wir al durch kurzewîle her bekomen:
> wir sullen froelich sin, daz mac uns wol gefromen,
> mit hübschen züchten, aller kriec si ûz genomen.

Der Gegner ist damit auch einverstanden und nennt nun
seinen Satz: „durch frouwen êre" legt er seine Waffen an,

---

[1] ed. Ettmüller S. 159 Str. 277—279.
[2] Bartsch, Kolm. Hs. Nr. 61 S. 351. Auch in der Wiltener Hs. überliefert. vgl. Bartsch, Kolm. Hs. S. 106 Nr. 74 u. Zingerle l. c. S. 351.

ihren Namen über alles zu preisen ist sein Ziel, während der andere des Mannes Vorzug vor dem Weibe verteidigt und meint: „sô gât doch mannes name vür".

Im ersten Teile erinnert der Streit mitunter an das schon erwähnte Kampfgespräch zwischen einer Frau und einem Priester. Die Verhandlung ist durchaus sachgemäss und rein geistlicher Natur; es finden sich nur wenige Schimpfworte und ab und zu ein Anruf an die Merker, ein Beweis, dass sich der Dichter das Werk in einer Schule vorgetragen dachte. Regenbogens Hauptstütze ist der Ausspruch, dass Gott der Vater doch ein Mann sei, während Frauenlob meint, den Frauen gebühre der höchste Preis, da doch Gott selbst eine ihres Geschlechtes zur Mutter seines Sohnes erkoren habe. Am Schlusse giebt denn auch der erstere seine Niederlage zu:

daz got hât menlîch forme ganz an sich genomen,
daz ist von reiner frouwen adel dar bekomen.

Um aber seine frühere Behauptung nicht gerade ganz fallen zu lassen, fügt er noch an:

darumbe zimt uns kristen wol, daz wir sie êren beide,
die werden man und ouch die reinen frouwen.

Dieses Gedicht können wir wohl als typisches Beispiel für die ganze Gattung in jener Zeit hinstellen; es ist ein Sänger-krieg, wie man ihn sich recht gut denken kann, zum Vergnügen der Beteiligten in einer Schule aufgeführt. Ein Preis ist aus-gesetzt, und die Bewerber um das krenzelîn, vielleicht gute Freunde, geben sich alle Mühe, es zu gewinnen, ohne dabei in jenen rohen, unmässig groben Ton zu verfallen, der uns in dem andern grossen Gedichte, über wîp und frouwe, so unan-genehm berührte.

C. Rätselspiele, Weisheitsproben, gelehrte Gespräche.

Bei den deutschen Denkmälern dieser Gattung können wir vor allem die zwiefache Entwickelung nach der gelehrten und nach der volksmässigen Seite hin beobachten. Einen direkten Zusammenhang mit den ältesten lateinischen gelehrten Gesprächen von der Art der disputatio Pippini cum Albino und ihrer Sippe, und den Beweis dafür, dass derartige Erzeugnisse dauernd fortlebten und sich auch ziemlicher Beliebtheit erfreuten, ersehen wir aus der Übersetzung einer solchen disputatio, deren Anfang Bartsch als Gespräch zwischen König Pippin und einem Meister mitteilt [1]).

Auf die Verbreitung der Salomo- und Markolfsage in Deutschland wurde schon gelegentlich bei der Behandlung dieses Stoffes in den fremden Litteraturen hingewiesen. Dass er hier schon in alter Zeit heimisch und weithin bekannt gewesen ist, erweist je ein Zeugnis bei Notker Labeo [2]) und Freidank [3]); und zwar ist hier wie in der lateinischen und französischen Litteratur die volksmässige und scherzhafte Umgestaltung, wenigstens seit Freidanks Zeit, schon völlig durchgedrungen, während in der angelsächsischen, wie wir sahen, der Charakter dieser Gespräche noch durchaus ernst und gelehrt war. Die älteste deutsche uns erhaltene Fassung [4]) stammt aus dem 14ten Jahrhundert und ist des Inhalts, dass der bäuerische und ungehobelte, aber witzig-schlaue und schlagfertige Markolf die weisen, ernsten, würdevollen Aussprüche des gelehrten Salomo durch entsprechende weltliche, derbe und oft recht schmutzige Gegenstücke überbietet, „das Ideale durch das Gemeine, das Erhabene durch das Lächerliche übertrumpft" [5]), und jenen zum Geständnis seiner Niederlage zwingt. Übrigens findet sich hier auch eine Art Rätsel, Aussprüche mit einem besonderen, verborgenen Sinne, mit denen Markolf einige Fragen Salomos beantwortet.

Eine andere Bearbeitung in Versen wurde um 1450 von Gregor Hayden vorgenommen [6]), und eine dramatische werden wir nachher noch zu nennen haben.

In die Kategorie der scherzhaften Rätselfragen, der wir auch schon begegnet sind, gehört im Anfange des 13. Jahrhunderts ein späterhin viel bearbeiteter Stoff, jene Partie von

---

[1]) Verzeichn. d. deutschen Heidelberger Handschriften. cod. 347, 4. (S. 186.)

[2]) In der Paraphrase des 118. Psalms; bei Hattemer, St. Gallens altd. Sprachschätze II, 435 b, in Pipers Ausgabe Notkers II, 522 Zeile 11.

[3]) ed. Grimm, 2. Ausg. 1860 S. 52, 3.

[4]) Hgg. in v. d. Hagen u. Büschings deutschen Ged. d. Mittelalters I.

[5]) Vogt in Pauls Grundriss II [1]; S. 388.

[6]) Hgg. in Bobertags Narrenbuch.

des Strickers Pfaffen Âmîs [1]), in welcher dieser die verfäng-
lichen Fragen seines Bischofs so lustig und burlesk, und doch
so unwiderleglich beantwortet. In dieser Dichtung sehen wir
eine Verschmelzung der gelehrten mit der volksmässigen Richtung; denn der Bischof nimmt diese Klugheitsprüfung in ernster
Absicht vor; im Falle des Nichtbestehens will es dem Pfaffen
sogar die fette Pfründe wegnehmen; dieser aber betrachtet die
Sache durchaus von der heiteren Seite.

Etwa in dieselbe Zeit fällt sodann das völlig geistliche
Rätselspiel zwischen König Tirol und seinem Sohne Fride-
brant [2]), wahrscheinlich nur ein Fragment, an welches sich
dann einige Anklänge im zweiten Teile des Wartburgkrieges
finden [3]), dem grossen Rätselkampfe zwischen Klingsor von
Ungerland und Wolfram von Eschenbach. Für sein Verhältnis zum ersten Teile, das zum mindesten ein sehr lockeres
ist, begnüge ich mich hier auf die Ausführungen Simrocks,
Schneiders [4]) und Stracks zu verweisen. Klingsor hat den Ruf
von Wolframs Meisterschaft vernommen und ist gekommen, um
seine Kunst zu erproben. Löse er die Aufgabe, so wolle er
diese anerkennen, ihn sonst aber als einen Stümper verrufen,
selbst wenn er dabei nur den geringsten Fehler begehe. Die
Prüfung besteht nun in der Lösung der von Klingsor aufgegebenen allegorisch-geistlichen Rätsel, und zwar hält Simrock
(S. 257) nur das erste und zehnte der uns überlieferten für echt
und ursprünglich, alle übrigen aber, und zunächst natürlich die
von Wolfram aufgegebenen, für spätere Einschiebungen, welche
erst Abschreiber und Interpolatoren aus Lust an solchen Spielen
des Witzes und der üblichen Gelehrsamkeit mit eingefügt haben.
Jedenfalls ergiebt sich aber aus der grossen Häufung dieser
kleineren Rätselspiele im Rahmen des ganzen Gedichtes, in das

---

[1]) v. 93—108 ed. Lambel, Erzählungen u. Schwänke. 2. Auflage, Leipzig 1883. S. 11 ff. der Einleitung handeln ausführlich über die grosse Verbreitung dieses Stoffes u. d. Rätseldichtung überhaupt.

[2]) ed. Leitzmann, Halle 1888. = Altd. Textbibl. Nr. 9.

[3]) Oldenburg, z. Wartbgkriege. S. 42 ff.

[4]) Der zweite Teil des Wartburgkrieges und dessen Verhältnis zum
Lohengrin. Leipziger Dissert. Mühlberg 1875.

sie zum Teil nicht im mindesten hineinpassen, wie beliebt und viel geübt damals diese Litteraturgattung gewesen sein muss.

Völlig volksmässig dagegen und inhaltlich den alten skandinavischen Rätselgedichten näher stehend ist das Tragemunds-lied [1]), welches sogar noch eine Anzahl Fragen mit jenen gemein hat. Müllenhof setzt es in das 12. Jahrhundert, ohne aber den Beweis für diese Zurückdatierung zu geben; überliefert ist das Lied erst aus dem 14. Jahrhundert. Meister Tragemund erscheint uns hier als der Typus éines „varenden man", der durch seine weiten Reisen — „zwei und sübenzig lant die sint dir kunt" heisst es mit stäter, formelhafter Wiederkehr in der Anrede — sich eine so grosse Weisheit erworben, dass ihn niemand hierin übertrifft und er alle Rätsel und Fragen zu beantworten vermag.

Eine andere beliebte Form der Rätselspiele zeigen uns die sogenannten Kranzlieder, welche, an alten Volksbrauch anknüpfend, beim Tanze gesungen wurden. Der Sänger wirbt darin bei einer Jungfrau um ihr Rosenkränzlein und muss es sich durch die Lösung einer Anzahl von Rätselfragen verdienen [2]).

Dass sich auch die Sänger von Beruf und die Meister dieser Gattung bemächtigten und sie gern pflegten, ist ja leicht erklärlich; bot sie doch die beste Gelegenheit, mit der eigenen Gelehrsamkeit zu glänzen und zugleich die des Gegners zu erproben, worauf jener wohl gewöhnlich recht gern eingehen mochte, um auch seinerseits mit seiner Weisheit prunken zu können. Wie eng diese Rätselkämpfe mit den eigentlichen Sängerkriegen verwachsen sind, haben wir ja gesehen, da wir schon einige besprochen haben, eben weil sie untrennbar zu jenen hinzugehörten.

Ausser manchen kleineren Resten und Trümmern selbständiger Rätselkämpfe, die teils Herausforderungen, teils Scheltstrophen für bewiesene Unkenntnis enthalten [3]), kennen wir auch

---

[1]) Müllenhof u. Scherer, Denkmäler³. Bd. I. Nr. 48.
[2]) Uhland, Volkslieder Nr. 2.
[3]) z. B. Hagen, Minnes. III, 65, ²/₃. II, 369, IV. III, 468. Bartsch, Kolm. Hs. Nr. 84, 99, 136, 183 u. bes. 53, das schon besprochen ist. Nähere

einige grössere und vollständige Stücke dieser Art, bei denen das polemische Element oft ganz besonders deutlich hervortritt. Hierher gehört zunächst ein Streit des Singuf mit Rumesland [1]), geistlichen Inhalts, und ein grösserer Rätselkomplex, verfasst von Regenbogen [2]). Dieser richtet zwar die Aufforderung zur Lösung zunächst an die Allgemeinheit, hat aber doch besonders den Frauenlob im Auge, dem gegenüber er es auch an spitzen und derben Ausfällen nicht fehlen lässt. In Strophe 7 heisst es nur:

„Wer ist nu hie so künste rich,
der mir die mül (den Gegenstand des Rätsels) mit sinnen râten
kan?"

In der nächsten wird er schon deutlicher:

Wer ræt mir disen kluogen rât?
her Vrouwenlop besunder!
her Vrouwenlop, sliuz mir ûf disen bunt!

Die neunte Strophe ist noch anzüglicher:

her Vrouwenlop, ir sprecht, mîn herze daz si iu wol kunt:
der rât der si iu vür geleit,
rât mir daz viur, ir habt ez dicke enbrant!

Als er nun keine richtige Lösung erhält, lässt er seinem Unmut und Spott ganz unverhohlen freien Lauf (Str. 10):

ir habt ze vil hie umb gejeit
in übermuot, daz merkt, her Vrouwenlop!
mich dunkt ir sit der mülu ein kint,
daz red ich offenlîche.

Ein weiteres Gedicht unter dem Namen dieser beiden unermüdlichen Helden enthält dann die Kolmarer Handschrift [3]); die beiden ersten Strophen weist Bartsch dem Regenbogen selbst, die letzte dem Frauenlob zu. Der Eingang, mit ziemlich drastischen Gleichnissen durchsetzt und keineswegs von der Bescheidenheit diktiert, enthält Regenbogens Herausforderung. In der

---

Angaben über mhd. Rätsellitt. in Reinmar v. Zw. ed. Roethe 251 u. Scherer deutsche Stud. I, 345 (Sitz. Ber. d. Kaiserl. Ak. d. W. Bd. 64. 1870.)

[1]) Hagen, Ms. III, 49.
[2]) ebda. 347—349.
[3]) ed. Bartsch Nr. 62 S. 362 u. Einleitg. S. 176.

zweiten wendet er sich an einen „werden fürsten" und bittet
diesen, den Sanges- und Weisheitskampf zwischen ihm und
seinem Gegner zu gestatten:

Ach werder fürste, ich bitte dich in hôhem lobe
daz du uns mit einander lâst in künsten toben.

Das Werk wurde also bei Hofe, wohl in grösserer Gesellschaft, vorgetragen, ein Grund, wie mir scheint, für die Annahme, dass das Ganze ursprünglich wohl länger gewesen sei;
denn für drei Strophen lohnt sich eigentlich kaum der Aufwand
so vieler Redensarten. Am Ende der Strophe stellt er seinem
Gegner drei Fragen mit folgendem Schlusssatze: „und rætest
du die glôsen dri, sô bist du sinnes riche". Die letzte Strophe
enthält kurz und bündig die Antwort Heinrichs und die richtige
Lösung der drei Rätsel; das scheint mir aber nicht gerade
dafür zu sprechen, dass dieser selbst der Verfasser ist; seinem
Charakter und seiner Praxis würde es, glaube ich, angemessener
sein, bei der Siegesgewissheit, die ihn erfüllt, erst einen mächtigen Redesturm gegen den verwegenen Herausforderer zu ent-
fesseln und ihn ob seiner Kühnheit weidlich zu schelten.

Noch nach einer andern Richtung hin hat sich unsere
Gattung entwickelt, die mehr an die wirklichen, gelehrten Disputationen des Mittelalters erinnert. An erster Stelle ist
dafür wieder der Regenbogen zu nennen, der gern einen
Juden auf solche Weise bekehren möchte [1]):

Wolher an mich, welch Jud ist wise
al mit der alten ê, den wil ich überkomen.

Der Streit wird weiter ausgeführt, natürlich mit geistlich-
gelehrten Waffen, aber die Rollen sind sehr ungleich verteilt.
Der christliche Sänger redet und schilt fast ohne Unterbrechung,
während dem Juden immer nur wenige Worte zur Verantwortung
oder zu einem Bekenntnisse eingeräumt werden.

Wahrscheinlich haben wir es hier mit der Wiederaufnahme
und Weiterbildung des alten Motives der Silvesterlegende
zu thun, welche sich schon in der Kaiserchronik in der Form

---

[1]) Hagen, Minnes. III, 351. vgl. auch Bartsch, Kolm. Hs. S. 134 Nr.
II, 52.

einer solchen Disputation findet [1]); und die Kämpfe zwischen
Synagoge und Ecclesia, dem alten und dem neuen Testamente,
die man ihrerseits wieder auf eine Predigt des heiligen Augustin
zurückführt [2]), sind in den geistlichen Spielen typisch [3]).

„Ein disputatz eins freiheits mit eim Juden" von Hans
Folz [4]) zieht dieses Thema karrikierend ins Lächerliche. Folz
berichtet uns den Streit in Form einer gereimten Erzählung.
Juden und Christen sind in einer niederländischen Stadt in
Fehde geraten; sie soll durch eine feierliche Disputation zwischen je einem Vertreter beider entschieden werden. Die Juden
ersehen sich dazu einen hochgelehrten Rabbi, die Christen aus
Mangel an einem Würdigeren einen zufällig erscheinenden Freiheit d. h. einen fahrenden Schüler. Der Jude glaubt recht listig
zu verfahren und sagt gar nichts, sondern macht an Stelle der
drei entscheidenden Fragen drei seltsame Gebärden, auf welche
der Freiheit, ohne natürlich von ihrer Bedeutung eine Ahnung
zu haben, doch keck und unbefangen mit drei entsprechenden
antwortet. Der Rabbi aber legt ihnen einen noch geheimnis-
volleren und tieferen Sinn unter als den seinigen und bekennt
seine Niederlage, während jener damit ganz burleske Scherze
verband und eigentlich gar nicht weiss, warum er gesiegt hat,
wie er seinen Glaubensgenossen auch unverhohlen berichtet. —
Das Gedicht dient einerseits zur Verhöhnung und Verspottung
der Juden und ihrer thörichten Weisheit, andererseits ist es
ein Preislied auf die kecke, sorglose Ausgelassenheit des Standes
der fahrenden Schüler.

Ein solcher ist auch der Held des nächsten und letzten
Gedichtes unserer Art, in dem seine Rolle einigermassen der
des Markolf ähnelt. Es ist ein Streit zwischen einem Freiheit
und einem Priester [5]). Der erstere ist nach langer, anstrengen-

---

[1]) Kaiserchronik ed. Schröder in Mon. Germ. Hist. Script. qui vern. ling.
usi sunt Tom. I, pars I. Hannover 1892. S. 293 ff., v. 8574 ff.

[2]) Creizenach, Gesch. d. neueren Dramas. Halle 1893. Bd. I S. 67 ff.

[3]) Auch die bildende Kunst benutzte gern dieses Motiv. vgl. darüber
P. Weber, Geistliches Schauspiel und christliche Kunst in ihrem Verhältnis
erläutert an einer Ikonographie der Kirche und Synagoge. Stuttgart o. J.

[4]) Keller, Fastnachtsspiele S. 1115 ff.

[5]) Keller, Fastnachtsspiele S. 530.

der Wanderung in einer Bauernstube, halb verhungert, ohnmächtig geworden, und es wird nun ein Priester herbeigeholt, der ihn auszuforschen sucht. Jener aber versteht die Fragen absichtlich immer falsch, ähnlich wie Till Eulenspiegel, dessen Hauptstärke es ja auch ist, die Leute durch zwar wörtliche aber unsinnige Auffassung und Ausführung von Mitteilungen und Aufträgen zum Narren zu halten, und parodiert sie durch seine schalkhaften Antworten. Wenn er gefragt wird: Wo bist du krank? so sagt er: Auf dieser Bank; oder auf die Frage, ob er beten könne, erwidert er, mit Betteln habe er sich schon manches Jahr ernährt, u. s. w.

D. Überblick über das Verhältnis der Streitgedichtlitteratur zu den Fastnachtsspielen.

Nach der Betrachtung der verschiedenen Arten von Streitgedichten sei es nun gestattet, auch noch einen kurzen Blick auf die Anfänge der dramatischen komischen Dichtung in Deutschland zu werfen, da sich doch ein etwas engerer Zusammenhang derselben mit gewissen Gattungen der Streitgedichte beobachten lässt, als Creizenach in seiner Geschichte des neueren Dramas ihn einräumen möchte. Ausser dem Einflusse des alten Streites zwischen Sommer und Winter auf jenes niederländische „abele spel" (s. S. 38) und dem der Kämpfe von Vertretern einzelner Stände auf die Spiele, in denen Fasten und Fastnacht selbst auftreten [1]), wäre hier noch besonders ein niederdeutsches Fastnachtsspiel des Nicolaus Mercatoris von dem Streit zwischen Leben und Tod zu beachten [2]).

Es ist dieses erwiesenermassen nichts anderes als eine etwas erweiterte, mit einigen Einleitungs- und Schlussversen versehene Bearbeitung jenes Streites zwischen Leben und Tod, dessen wir oben (S. 60) gedachten.

---

[1]) Creizenach I, 459. Zwei deutsche bei Keller Nr. 51 u. 72, doch da auch Einfluss von Gerichtsscenen.
[2]) Seelmann, nd. Fastnachtsspiele.

Das Fastnachtsspiel „Der Waldbruder" (Keller No. 2) könnte man mit eben so gutem Rechte ein einfaches Streitgedicht nennen; denn es ist nur ein Zank zwischen einem heuchlerischen Vertreter des geistlichen Standes und einem ungehobelten Laien, die sich um die Wette gegenseitig herabsetzen und sich ihre Schandthaten vorwerfen.

Von besonderer Wichtigkeit aber ist, wie ich glaube, die Gattung des Wettliedes für die Fastnachtsspiele geworden; denn etwa ein Fünftel der bei Keller gedruckten, allerdings gerade die, welche Creizenach nur als Fastnachtsaufzüge (S. 407) bezeichnet, scheinen mir auf jene, oder doch auf Nachahmung derselben zurückzugehen. Hier einige Belege. In No. 16 und 33 bei Keller treten eine Anzahl Frauen und Männer auf; die ersteren setzen für denjenigen einen Preis aus, der seine Frau am besten zu preisen verstünde. Um ihn zu erringen, thun dies nun die Männer der Reihe nach aus besten Kräften, wofür sie am Ende den Dank der Frauen ernten. In beiden Stücken haben wir nur neue, in etwas rohem Tone gehaltene, wieder mit kurzem Eingang und Schluss versehene Bearbeitungen eines alten Themas, desselben, welches wir oben von einem Minnesinger in seinem Liede von den neun Rittern (S. 67) behandelt sahen.

Wie sich ferner in Zabulons Buch Wolfram und Klingsor in der Erzählung merkwürdiger Geschichten zu überbieten suchten, oder in dem Liede von den sieben grössten Freuden jeder das ausführlich schilderte, was ihm am besten gefiel, so finden wir entsprechende Wettbestrebungen auch in unseren Spielen. Sehr häufig treten da eine Anzahl Narren oder Bauern auf, die nacheinander ihre Liebesabenteuer berichten und dabei jeder den Anspruch auf die höchste Leistung erheben. (z. B. No. 13. 14. 32. 38 u. a.) Manchmal suchen sich auch die Schauspieler durch die Erzählung von Lügenmärchen zu übertreffen (No. 9. 64). In noch anderen Fällen wieder loben sich die Auftretenden einfach selbst um die Wette, teils ohne Nebenabsicht, teils, um sich dadurch eine Braut zu gewinnen (No. 12. 15. 28. 36 u. a.). Bei einem der letzteren, (No. 70) in welchem die Vertreter von dreizehn Ständen derartig um die Hand einer Jungfrau werben, und zuletzt ein Schreiber den Sieg davonträgt, ist übrigens die Ähnlichkeit mit einem lateinischen Liede einer Prager Handschrift von 1459 zu beachten [1]); dort möchte gern eine Mutter ihre Tochter verheiraten und preist ihr nach einander die Vorzüge eines miles, monachus (!) rusticus u. s. w.; aber jene verschmäht alle diese und wählt erst den letzten, einen scolaris literatus.

Auch noch andere Gattungen der Streitgedichte haben in den Fastnachtsspielen eine Weiterentwickelung erfahren, so namentlich der Rätselstreit. Das Spiel von dem Freiheit oder Freihard (No. 63) ist weiter nichts als die mimische Aufführung einer alten volksmässigen Dichtung von der Art des Tragemunds-liedes, und in einem andern finden wir eine ganze Reihe von Rätselspielen in der Weise dargestellt (No. 25), dass eine An-zahl Personen, immer zu Paaren geordnet, sich Fragen vorlegen und sie unter Schelt- und Hohnreden beantworten.

Der uns schon aus dem Pfaffen Âmis bekannte Stoff hat auch seine Dramatisierung erfahren in dem Spiel von einem Kaiser und einem Abt (No. 22); und zwar steht dieses bereits auf einer höheren Stufe dramatischer Entwickelung, da hier der Dichter ausser den Hauptpersonen noch eine ganze Menge anderer auftreten lässt.

Endlich haben wir als scenische Aufführung einer Weisheits-probe noch zu nennen das Spiel von König Salomo und Markolfo (No. 60) von Hans Folz. Der eigentliche Kern desselben ist jener alte Wortstreit der beiden, in welchem der weise König so schmählich überwunden wird; damit sind dann noch, auch im Anschluss an die alte Quelle, einige andere Geschichten ver-knüpft; so die Erzählung von Salomons Urteil, eine neue List Markolfs, durch die er den König von dem Wankelmute der Frauen überzeugt, und noch mehrere andere burleske Scherze.

Wenn wir sodann auch die Gattung der gelehrten Dispu-tationen, namentlich zwischen Cristentum und Judentum in den Fastnachtspielen fortleben sehen, wie besonders im Spiel von

---

[1]) Gedruckt von Feifalik i. d. Sitz. Ber. d. Kais. Ak. d. Wis. zu Wien. phil.-hist. Kl. Bd. 36 S. 169.

der alten und neuen Ê (No. 1) und im Kaiser Konstantinus
(No. 106) — übrigens auch wieder eine neue Bearbeitung der
Silvesterlegende — und auderen, so ist dabei allerdings wohl
mehr an eine Beeinflussung durch das lateinische geistliche Drama
zu denken als an eine solche durch die wenigen Streitgedichte
dieser Art.

Schluss.

Fassen wir die Ergebnisse unserer Betrachtung in Kürze zusammen:

Die Gattung des Streitgedichtes ist ein Allgemeingut der Völker des Abendlandes; fast in allen Litteraturen konnten wir Spuren, in den meisten eine besondere Entwickelung wahrnehmen. Von den Griechen gelangte sie zu den Römern, von diesen ward sie in die Länder Mitteleuropas verpflanzt. Im Mittelalter gedieh sie dort zunächst in der internationalen Sprache, als ein Erzeugnis internationalen Geistes und seiner Poesie, naturgemäss zugleich wie jene ganze Zeit von dem Zauber des geistlich-kirchlichen beherrscht, wie von den Einflüssen römischer Bildung durchsetzt. Dabei verbindet sie sich gleich in einem der ältesten Denkmäler aufs Innigste mit germanischen Eigenheiten und Charakterzügen, und allmählich bilden sich in den einzelnen Litteraturen Sondererscheinungen aus, aber immer fussend auf den gegebenen allgemeinen Grundzügen.

So pflegen die Provenzalen und Nordfranzosen mit grösster Vorliebe den Sängerstreit, die Tenzone, bei der jedoch der Stoff die Nebensache wird, während die Person des Dichters, die kunstvolle Form, die Lust an Spitzfindigkeiten in den Vordergrund treten.

Auf germanischem Boden blühen, zunächst in der Poesie der Skandinavier und Angelsachsen, einige Zweige unserer Gattung durchaus selbständig, unberührt von fremden Einflüssen und Entlehnungen, wie jene markigen Streitgespräche der Götter und Helden, die vielleicht nur in den Kampfreden der Helden Homers ein würdiges Gegenstück haben, und die Rätselspiele;

andere Denkmäler dagegen zeigen wieder die Verquickung alt-
einheimischen Wesens mit den Errungenschaften der römischen,
christlichen, gelehrten Bildung.

In der deutschen Dichtung sind uns aus der althochdeutschen
Zeit keine Beispiele unserer Gattung bekannt, auch in der
ältesten mittelhochdeutschen Periode fehlen sie noch; aber in
der Blütezeit beginnen sie sich zu zeigen, allerdings zuerst
ziemlich vereinzelt. Ihre eigentliche Entwickelung und Blüte
fällt in die spätmittelhochdeutsche Zeit, in der sie durchaus von
der herrschenden didaktisch-allegorischen Richtung, namentlich
von der Minneallegorie, beeinflusst ist und in engem Zusammenhange mit den Anfängen des Meistergesanges steht.

Einesteils bemerken wir direkte Anlehnungen an lateinische
Vorbilder, andernteils entwickeln sich mehrere Typen des Streitgedichtes selbständig nebeneinander und zu gleicher Zeit. Seine
Gattung muss bald didaktischen Zwecken dienen, bald bietet sie
einen bequemen Weg um gelehrten, religiösen, sittlichen Bedenken
und Betrachtungen, dann wieder erotischen Ergüssen Ausdruck
zu verleihen, bald endlich wird sie geübt aus reiner Freude an
ihr selbst, aus Lust am Dialektischen, am Polemischen, am
lebendig Dramatischen, das schon in ihr keimt.

Die Form erscheint zum Teil, besonders in den früheren
Gedichten, rein, zum Teil auch, namentlich in den späteren, eng
verschmolzen mit der im ganzen Mittelalter äusserst beliebten
episch-novellistischen oder allegorischen Einkleidung, und mitunter erkennen wir auch das karrikierende Gewand der Dörperpoesie.

Den breitesten Raum nehmen unter unseren deutschen Streitgedichten die Kämpfe um den Vorzug ein, und unter ihnen
wieder die über Fragen des Minnelebens. Umgekehrt aber
wie in der romanischen Dichtung tritt hier der Dichter fast
ganz zurück, auch die eingeführten streitenden Gegner sind von
geringerer Wichtigkeit, die Hauptsache ist die deutscher Art
entsprechende gründliche und liebevolle Behandlung des Themas.

Sängerkriege kennen wir durch vollständige Denkmäler erst
aus der Zeit des beginnenden Verfalles, aber viele Zeugnisse
und Spuren bewiesen uns, dass auch diese Art für die Blütezeit
vorauszusetzen ist.

Die Rätselspiele, einen so gern und viel gepflegten Zweig der Gattung, sehen wir auch in reicher Entfaltung vor uns, teils in rein volksmässigen, teils in gelehrten und geistlichen Bahnen sich bewegend.

Zuletzt endlich konnten wir noch einen entscheidenden Schritt der vorwärts drängenden Entwickelung wahrnehmen; im Fastnachtsspiele, im komischen Drama, sahen wir viele Stoffe der alten Streitgedichte wiederaufgenommen und mit neuer Liebe und mit einer neuen Technik behandelt und fortgebildet.

Nachträge.

Zur Einleitung: Für die antiken Streitgedichte ist noch eine Schrift zu erwähnen, für deren Nachweis ich Herrn Prof. Dr. K. Zacher zu Dank verpflichtet bin: O. Hense, die Synkrisis in der antiken Litteratur. Rede, gehalten am 18. Mai 1893 bei der öffentlichen Übernahme des Prorektorates der Universität Freiburg.

Zu S. 11: Über das Gedicht De Phyllide et Flora ist noch auf die Untersuchungen von Jakob Schreiber in seiner Dissertation: Die Vaganten-Strophe der mittellateinischen Dichtung (Strassburg 1894) S. 75 fgg. zu verweisen, in welcher der Verfasser die Entstehungszeit des Gedichtes in das letzte Viertel des 12. Jahrhunderts setzt. — Auch ist zu bemerken, dass die Fassung der erwähnten römischen Handschrift doch schon veröffentlicht ist und zwar von Hauréau in den Notices et extraits 1893, VI, 278. — Ferner sind in der ersten Anmerkung auf S. 11 die Worte: „Hubatsch — einander ab" zu streichen.

Buchdruckerei Maretzke & Märtin, Trebnitz in Schles.

Germanistische Abhandlungen

13